La increïble història de...

M

David Walliams

La increïble història de...

LES HAMBURGUESES DE RATA

Il·lustracions de
Tony Ross

Traducció de
Ricard Gil

Montena

Paper certificat pel Forest Stewardship Council®

Títol original: *Ratburger*

Tercera edició: setembre del 2016
Segona reimpressió: juliol del 2021

Publicat originalment al Regne Unit per HarperCollins Children's Books,
una divisió de HarperCollins Publishers Ltd.

Printed in Spain – Imprès a Espanya

ISBN: 978-84-9043-105-4
Dipòsit legal: B-13.700-2013

Compost a Compaginem Llibres, S. L.
Imprès a Rotoprint By Domingo, S. L.
Castellar del Vallès (Barcelona)

GT 3 1 0 5 E

Per al Frankie,
el nen del somriure preciós

Us presento els personatges d'aquesta història:

Pare, un pare

Burt,
el venedor d'hamburgueses

Zoe, la nena

Sheila,
la madrastra de la Zoe

El senyor Grave, el director de l'escola

La senyoreta Nanny, la mestra nana

Raj, el quiosquer gros

Tina Trotts, la busca-raons del barri

Bunyolet, l'hàmster mort

Armitage, la rata viva

1

Alè de patates xips
amb gust de còctel de gambes

L'hàmster era mort.

D'esquenes a terra.

Potes enlaire.

Mort.

Amb les llàgrimes regalimant-li galtes avall, la Zoe va obrir la gàbia. Li tremolaven les mans i estava destrossada. Mentre col·locava el cos diminut i pelut d'en Bunyolet damunt la moqueta gastada, va pensar que mai més no tornaria a somriure.

—Sheila! —va cridar la Zoe, tan fort com va poder. Per molt que el seu pare l'hi demanés, la Zoe es negava a dir «mama» a la seva madrastra. No ho havia fet mai, i havia jurat que mai no ho faria. Ningú podria ocupar el lloc de la mare de la Zoe, i a més la Sheila no feia cap esforç per aconseguir-ho.

—Calla d'una vegada! Estic mirant la tele i omplint-me el pap! —es va sentir la veu aspra de la dona des de la sala.

—És en Bunyolet! —va cridar la Zoe—. No es troba bé!

Això era quedar-se curt.

La Zoe va recordar el capítol d'una sèrie de televisió en el qual una infermera intentava ressuscitar un ancià que agonitzava, i va intentar desesperadament aplicar el boca a boca al seu hàmster, tot bufant-li amb molta suavitat per la boca. No va funcionar. Tampoc va servir de res connectar el petit cos del rosegador a una pila amb un clip de paper. Ja era massa tard.

Quan el va tocar, va notar que el cos de l'hàmster estava fred, rígid.

—Sheila! Ajuda'm, sisplau...! —va cridar la nena.

Al principi, el plor de la Zoe havia estat silenciós, però ara va deixar anar un gemec gegantí. Per fi va sentir que la seva madrastra recorria pesadament i a contracor el passadís del petit apartament, que estava situat a la trenta-setena planta d'un bloc de pisos inclinat. Aquella dona produïa uns sorolls enormes, de tant que li costava bellugar-se, cada vegada que havia de fer alguna cosa. Era tan mandrosa que de vegades li demanava a la Zoe que li tragués les burilles, a la qual cosa per descomptat la Zoe sempre deia que no. La Sheila era capaç de gemegar de dolor només de canviar el canal del televisor amb el comandament a distància.

—Uf, uf, uf, uf... —esbufegava la Sheila mentre recorria el passadís amb gran rebombori. La madrastra de la Zoe era força baixeta, però ho compensava amb una amplària que gairebé igualava l'alçada.

En resum, era esfèrica.

Les hamburgueses de rata

La Zoe va notar de seguida que la dona s'estava dreta al llindar de la porta, perquè havia bloquejat la llum com si fos un eclipsi lunar. I no solament això, la Zoe també va sentir l'olor de patates xips amb gust de còctel de gambes. A la seva madrastra li encantaven. De fet, afirmava orgullosa que des de ben petita s'havia negat a menjar cap altra cosa, i s'havia dedicat a escopir qualsevol altre aliment a la cara de la seva mare. La Zoe trobava que les xips pudien, i no només a gamba. Per descomptat, l'alè de la dona també feia una fortor horripilant.

Fins i tot ara, de la porta estant, la madrastra de la Zoe duia en una mà una bossa d'aquell aperitiu tòxic, i feia servir l'altra mà per anar-se enclastant les patates a la boca mentre supervisava l'escena. Anava vestida com sempre, amb una samarreta blanca llarga i llardosa, malles negres i sabatilles roses de pelfa. Els fragments de pell que quedaven al descobert estaven recoberts de tatuatges. Als

braços hi duia escrits els noms dels seus exmarits,
que després havien estat barrats amb una creu:

—Déu meu —va escopir la dona, amb la boca
plena de patates xips—. Déu meu, Senyor, quina
pena que em fa. Em trenca el cor. La pobra *cosseta*
l'ha dinyat!

Va mirar per damunt l'espatlla de la seva fillas-
tra i va inspeccionar l'hàmster mort. Mentre parla-
va anava ruixant la moqueta de trossos mig maste-
gats de patates xips.

—Déu meu, Déu meu i tota la pesca —va afegir,
amb un tot que no semblava ni remotament trist.

En aquell moment, un tros enorme de patata mig mastegada va sortir disparat de la boca de la Sheila i va anar a parar al rostre esponjós de la pobra criatura. Era una barreja de patata i de saliva.* La Zoe l'hi va netejar amb suavitat, i va vessar una llàgrima que va caure sobre el nassarró fred i rosat.

—*Ascolta*... tinc una gran idea! —va dir la madrastra de la Zoe —. M'acabo aquestes patates i tu fiques l'animalot dins la bossa. Jo no el toco ni boja. No vull que m'agafi alguna *cossa*.

La Sheila va alçar la bossa per damunt la boca, la va abocar tota i va engolir àvidament les molles que quedaven de patates xips amb gust de còctel de gambes. Aleshores la dona va oferir la bossa buida a la seva fillastra.

—Aquí la tens. Fica'l aquí, de pressa. Abans que la pudor impregni tota la *cassa*.

---

* El terme tècnic seria «escoxipada».

19

La Zoe va haver de reprimir un crit ofegat en sentir aquella frase tan injusta. El que realment estava impregnant la casa d'una fortor insuportable era l'alè de patates xips amb gust de còctel de gambes d'aquella foca. Una sola alenada podria fer caure la pintura de les parets. Deixar sense plomes un ocell fins a deixar-lo calb. Segons la direcció del vent, aquell alè podrit es podria sentir en una ciutat situada a quinze quilòmetres de distància.

—No penso enterrar el pobre Bunyolet dintre d'una bossa de patates —va etzibar la Zoe—. No t'hauria d'haver cridat. Vés-te'n, sisplau.

—Per l'amor de Déu, nena! —va cridar la dona—. Només et volia ajudar. Miserable, *dessagraïda*!

—Doncs no m'estàs ajudant gens! —va cridar la Zoe, sense girar-se—. Vés-te'n, sisplau!

La Sheila va sortir rondinant de l'habitació i va tancar la porta amb un cop tan fort que va fer caure el guix del sostre.

La Zoe va sentir com la dona a qui es negava a dir «mama» tornava treballosament a la cuina, segurament per obrir una altra bossa de mida familiar de patates xips amb gust de còctel de gambes per omplir-se el pap novament. La nena es va quedar tota sola al petit dormitori, tot gronxant l'hàmster mort.

Però, com havia mort? La Zoe sabia que era massa jove, fins i tot si ho comptava en anys de hàmster.

«Pot haver estat un assassinat?», es va preguntar.

Però quina mena de persona voldria assassinar un pobre hàmster indefens?

Doncs bé, abans que s'acabi aquesta història, ho sabreu. I també sabreu que hi ha persones capaces de fer coses molt i molt pitjors. L'home més malvat del món ens aguaita en algun lloc d'aquest llibre. Si sou valents, seguiu llegint...

2

Una nena molt especial

Abans de conèixer aquest individu tan profunda-
ment retorçat, hem de retrocedir fins al punt on va
començar tot.

La veritable mare de la Zoe va morir quan ella
era molt petita, però, malgrat tot, els primers anys
de la Zoe van ser molt feliços. La Zoe i el seu pare
sempre havien format un bon equip, i ell la va
inundar d'amor. Mentre la Zoe era a l'escola, el seu
pare anava a treballar a la fàbrica de gelats. Li en-
cantaven els gelats des que era nen, i li agrada-
va molt treballar a la fàbrica, per bé que era una fei-
na molt dura, de moltes hores i no gaire ben pagada.

El que mantenia la il·lusió del pare de la Zoe era inventar nous sabors. En acabar el torn a la fàbrica, tornava ràpidament a casa tot emocionat, amb una mostra d'un nou sabor, estrany i meravellós, que la Zoe seria la primera a tastar. I quan tornava a la fàbrica, informava al seu cap de quin era el sabor que havia agradat més a la nena. Aquests eren els favorits de la Zoe:

Esclat de sorbet
Xiclet bombollós
Remolí de triple xocolata, nous i *toffee*

Suprem de cotó ensucrat

Caramel amb crema

Sorpresa de mango

Glaçó de cola amb gelatina

Mantega de cacauet i escuma de plàtan

Pinya amb regalèssia

Explosió de refresc de sidral

El que li agradava menys era el de cargol amb bròquil. Ni tan sols el pare de la Zoe era capaç de fer que un gelat de cargol amb bròquil tingués bon gust.

No tots els sabors arribaven a les gelateries (el de cargol amb bròquil no hi va arribar), però la Zoe els tastava tots. De vegades menjava tant gelat que es pensava que explotaria. El millor de tot és que de vegades ella era l'única nena del món que els tastava, i això feia que se sentís molt especial.

Però hi havia un problema.

Com que era filla única, la Zoe no tenia ningú amb qui jugar a casa seva, a part del seu pare, que treballava moltes hores a la fàbrica. Per això, quan va tenir nou anys, i com molts nens de la seva edat, va començar a desitjar amb tota la seva ànima tenir un animal de companyia. No calia que fos un hàmster, però necessitava un ésser viu, no importava quin fos, per estimar-lo. Un ésser que, amb sort, també l'estimaria a ella. Però com que vivia en la planta trenta-setena d'un bloc de cases inclinat, havia de ser petit.

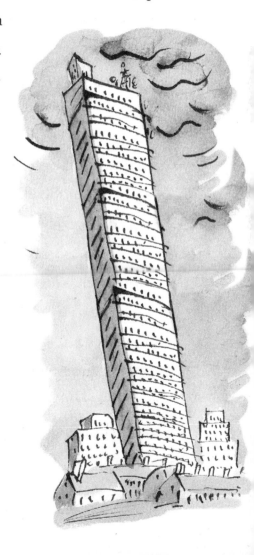

Així, el dia que la Zoe va complir deu anys, el seu pare va sortir d'hora de la feina i va anar a buscar la seva filla a l'escola per sorpresa. La va carregar a collibè —a ella això li agradava des que era petitona— i la va dur a la botiga d'animals del barri. Allà, li va comprar un hàmster.

La Zoe va escollir el més petitó, el més pelut, el més bufó, i li va posar Bunyolet.

En Bunyolet vivia en una gàbia a l'habitació de la nena. A la Zoe no li importava que en Bunyolet es passés la nit donant voltes amb la seva roda i no la deixés dormir. No li importava que li mossegués el dit de tant en tant quan ella li donava galetes de premi. Ni tan sols li importava que la gàbia fes pudor de pipí de hàmster.

En resum, la Zoe s'estimava molt en Bunyolet.

I en Bunyolet s'estimava molt la Zoe.

La Zoe no tenia gaires amics, a l'escola. I no era només això. Els altres nens es burlaven d'ella perquè era baixeta i pèl-roja i havia de dur ferros a les dents. Una sola d'aquestes coses ja hauria estat suficient perquè ho passés malament. Però amb totes li havia tocat la grossa.

En Bunyolet també era petit i pèl-roig, és clar que de ferros no en duia. Probablement, en el fons, si la Zoe l'havia escollit entre les dotzenes de boletes de borrissol que s'apilaven darrere l'aparador de la botiga d'animals, era precisament perquè era tan petit i vermell. Devia notar que eren ànimes bessones.

Durant les setmanes i els mesos posteriors, la Zoe va ensenyar a en Bunyolet alguns trucs increïbles. Per aconseguir una pipa de gira-sol, era capaç de posar-se dret sobre les potes del darrere i fer un número de ball. Per una nou, en Bunyolet feia una tombarella cap enrere. I per un terròs de sucre, era capaç de giravoltar sobre l'esquena.

El somni de la Zoe era fer que el seu petit animaló és fes mundialment famós i que fos el primer hàmster que ballés *break dance*!

Tenia pensat organitzar un petit espectacle per Nadal per a tots els nens del bloc de pisos. Fins i tot va fer un pòster per anunciar-lo.

Fins que un dia el pare va arribar a casa amb una notícia molt trista: una notícia que va destrossar la vida tan feliç que duien.

3

Anlloc

—M'he quedat sense feina —va dir el pare de la Zoe.

—No! —va dir la Zoe.

—Tanquen la fàbrica. Traslladaran tota la producció a la Xina.

—Però trobaràs una altra feina, oi?

—Ho intentaré —va dir el seu pare—. Però no serà fàcil. Serem molts els que buscarem els mateixos llocs de treball.

I efectivament no va ser fàcil. De fet, va ser impossible. Com que tantes persones havien perdut la feina al mateix temps, el pare de la Zoe es va veure obligat a demanar el subsidi del govern. Era una misèria, amb prou feines donava per viure. Com que no tenia res a fer en tot el dia, el seu pare es va anar deprimint cada vegada més. Els primers mesos anava cada dia a l'oficina d'ocupació. Però no hi havia mai feina en un radi de cent quilòmetres a la rodona, i al final va començar a anar al pub en comptes de seguir buscant. La Zoe se'n va adonar perquè estava força segura que les oficines d'ocupació no obrien de nit.

La Zoe es va anar amoïnant cada cop més pel seu pare. De vegades pensava que havia renunciat completament a dur una vida digna. Perdre primer la seva dona, i després la feina, semblava massa per a ell.

Poc sabia el pobre home que les coses podien empitjorar encara més...

El pare havia conegut la madrastra en el moment més baix. Se sentia sol i ella no tenia a ningú. El seu darrer marit havia mort en un misteriós incident relacionat amb unes patates xips amb gust de còctel de gambes. La Sheila devia creure que els diners del subsidi del seu desè marit li permetrien una vida regalada, amb tabac a dojo i totes les patates xips a gust de còctel de gambes que fos capaç de menjar.

Com que la veritable mare de la Zoe havia mort quan ella era molt petita, per molt que ho intentés, i mireu que ho intentava, la Zoe no se'n recordava. En altres temps havien tingut fotos de la mama per tot el pis. La mama tenia un somriure molt agradable. La Zoe es quedava mirant fixament les fotos, i mirava d'imitar aquell somriure. Certament s'assemblaven molt. Sobretot quan somreien.

Però un dia que tothom era fora, la nova madrastra de la Zoe es va dedicar a despenjar totes les fotos. Va afirmar que les havia «perdut». Segurament les va cremar. Al pare no li agradava parlar de la mama, perquè sempre es posava a plorar. Però, malgrat tot, ella continuava viva al cor i al pensament de la Zoe. La nena sabia que la seva mare l'havia estimat molt. N'estava segura.

La Zoe també sabia que la seva madrastra no l'estimava gens. Ni tan sols li queia bé. De fet, la Zoe estava força segura que la seva madrastra l'odiava. En el pitjor dels casos, la Sheila la tractava com si fos una molèstia; i en el millor dels casos, com si fos invisible. Algunes vegades la Zoe li havia sentit dir que la volia fer fora de casa quan fos prou gran per valer-se per si mateixa.

—No li permetré que visqui de gorra tota la vida!

Aquella dona no li havia donat mai un cèntim, ni tan sols el dia del seu aniversari. Per Nadal, la Sheila havia regalat a la Zoe un mocador de paper rebregat, i havia rigut a la seva cara quan la nena l'havia desembolicat. Estava ple de mocs.

Poc després d'instal·lar-se a l'apartament, la madrastra de la Zoe va exigir que es desempalleguessin de l'hàmster.

—Fa pudor! —va xisclar.

Però després d'un interminable estira-i-arronsa, la Zoe va aconseguir quedar-se l'animaló.

La Sheila seguia odiant en Bunyolet, però. Es queixava sense parar que el petit hàmster mossegava i foradava el sofà, quan en realitat era ella que els foradava amb la cendra dels cigarrets que es fumava! Una vegada i una altra, advertia la seva fillastra que «*txafaria* la bestiola *fastigossa* si algun dia la trobava fora de la gàbia».

La Sheila també es reia dels intents de la Zoe d'ensenyar *break dance* a l'hàmster.

—Perds el temps, amb tanta ximpleria. Aquesta bestiola i tu no arribareu mai *anlloc*. Em sents? *Anlloc!*

La Zoe la sentia, però s'estimava més no escoltar-la. Sabia que tenia un do amb els animals, el seu pare sempre l'hi havia dit.

De fet, la Zoe somiava de viatjar pel món sencer amb una gran companyia ambulant d'animals ensenyats. Algun dia aquests animals farien les delícies del món sencer. Fins i tot va fer una llista de quins podrien ser aquests números tan esbojarrats:

Una granota que fa de discjòquei superestrella

Una tortuga d'estany que canta rap

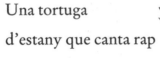

Dos jerbus que fan balls de saló

Un elefant
que canta òpera

Un ruc que fa
trucs de màgia

Un centpeus
que balla claqué

Una *boy-band* formada íntegrament per conillets
d'Índies

Les hamburgueses de rata

Un grup de tortugues que ballen al carrer

Un gat que fa imitacions
(de gats famosos
dels dibuixos animats)

Una truja
que es dedica al ballet

Un cuc hipnotitzador

Un número de
funambulisme
amb vaques

Una formiga
ventríloqua

Un rata de camp que fa números increïbles,
com ara sortir disparada d'un canó

Una exhibició
de karate amb meduses

Un hipopòtam
que fa pònting

La Zoe ho tenia tot pensat. Amb els diners que guanyarien amb els animals, el seu pare i ella podrien fugir per sempre més del bloc d'apartaments ruïnós i inclinat. La Zoe podria comprar al seu pare un pis molt més gran, i ella es retiraria a una casa de camp enorme on instal·laria un santuari per a animals de companyia abandonats. Els animals es passarien el dia corrent lliures pels camps, i de nit dormirien tots junts en un llit gegant. A la porta d'entrada, hi hauria un rètol que diria: «Cap animal és massa gran o massa petit. Aquí els estimem a tots».

Però llavors va arribar aquell dia infaust. El dia en què la Zoe havia arribat a casa de l'escola i havia trobat mort en Bunyolet. I amb ell també va morir el seu somni de ser una domadora famosa d'animals.

I ara, estimat lector, després d'aquest breu viatge en el temps, tornem al començament, perquè ja estem llestos per continuar la nostra història.

Però no torneu al principi, perquè seria una ximpleria i us trobaríeu donant voltes en cercle i llegint sempre les mateixes pàgines. Heu de fer el contrari. Gireu pàgina i continuaré explicant aquesta història. Som-hi. Deixeu de llegir això i tireu cap endavant. Ara mateix!

4

Marranades

—Llença'l al vàter i tira la cadena! —va cridar la Sheila.

La Zoe estava asseguda al llit, escoltant a través de la paret com discutien el seu pare i la seva madrastra.

—No! —va respondre el pare.

—Dóna-me'l a mi, tros d'ase! El llençaré a les escombraries.

Sovint la Zoe seia incorporada al llit vestida amb el pijama massa petit, i escoltava des de l'altra banda de la paret, que semblava feta de paper de fumar, les discussions inacabables entre el pare i la madrastra, que es perllongaven molt més enllà de la seva hora d'anar al llit. Aquesta nit en concret, és clar, cridaven i es barallaven per en Bunyolet, que havia mort aquell dia.

Com que vivien en un petit apartament a la trenta-setena planta d'un bloc ruïnós d'habitatges de protecció (que s'inclinava perillosament i hauria d'haver estat enderrocat dècades enrere), la família no tenia jardí. Sí que hi havia una antiga zona de gronxadors al centre de la plaça de ciment que compartien tots els blocs de la finca. Però els de la banda juvenil del barri feien que fos perillós aventurar-s'hi.

—Tu què mires? —etzibava la Tina Trotts a qualsevol que passés per allà. La Tina era la busca-raons del barri, i la seva banda de pinxos adolescents controlava la urbanització. Només tenia catorze anys, però era capaç de fer plorar un home adult, i sovint ho feia. D'un dels pisos estant, cada dia tirava una escopinada al cap de la Zoe quan la nena sortia per anar a l'escola. I cada dia la Tina se'n reia, com si fos la cosa més divertida del món.

Si la família hagués tingut un hort o fins i tot un petit tros de gespa propi en algun lloc de la urbanització, la Zoe hi hauria cavat una petita tomba amb una cullera, hauria dipositat el seu petit amic al forat i hauria fet una làpida amb el pal de fusta d'un gelat.

Bunyolet,
hàmster molt estimat,
expert ballarí de break dance,
i contorsionista esporàdic.
La Zoe, propietària i amiga, el trobarà a faltar.
*Que descansi en pau**

---

* El pal del gelat hauria hagut de ser ben ample.

Però no tenien jardí, és clar. Ningú en tenia. La Zoe va embolicar amb molta cura l'hàmster en una pàgina de la llibreta d'exercicis d'Història. Quan finalment el seu pare va tornar del pub, la Zoe li va entregar el valuós paquet.

«El papa sabrà què fer-ne», va pensar.

El que la Zoe no havia tingut en compte és que la seva horrible madrastra s'hi ficaria pel mig.

A diferència de la seva nova esposa, el pare de la Zoe era alt i prim. Si ella era una bola, ell era la bitlla, i com tothom sap, sovint les boles fan caure les bitlles.

El pare de la Zoe i la Sheila discutien a la cuina sobre què havien de fer amb el paquetet que la Zoe havia donat al seu pare. Sempre era horrorós sentir com es tiraven els plats pel cap, però aquella nit estava resultant especialment insuportable.

—Suposo que podria regalar-li un altre hàmster a la pobra nena —va gosar dir el pare—. El cuidava molt bé...

Per un instant, a la Zoe se li va il·luminar el rostre.

—T'has tornat boig? —va dir la madrastra, amb menyspreu—. Un altre *àmster*! Ets tan inútil que ni feina saps trobar! I els diners?

—És que no n'hi ha, de feina —es va defensar el pare.

—Això és que ets massa mandrós per trobar-ne. Ets un tros d'inútil.

—Tractant-se de la Zoe, podria trobar la manera. Me l'estimo molt, la meva filla. Podria intentar estalviar una mica de diners del subsidi...

—Si gairebé no t'arriba per pagar-me les patates xips, com vols alimentar una bèstia com aquesta?

—Podríem donar-li les sobres —va protestar el pare de la Zoe.

—No penso consentir una altra d'aquestes criatures fastigoses en aquesta *cassa*! —va dir la dona.

—No és cap criatura fastigosa. És un hàmster!

—Els *àmsters* no són millors que les rates —va continuar la Sheila—. Son pitjors! I jo em passo el dia *arramengada* per tenir el pis com una patena.

«No és veritat, això», va pensar la Zoe. «Això sembla una cort de porcs!»

—De sobte arriba una bestiola *fastigossa* i fa les seves marranades pertot arreu! —va continuar la Sheila—. I ara que parlem del tema, tu també podries apuntar millor quan pixes!

—Ho sento.

—Com ho fas? T'hi poses un aspersor, a la punta?

—Abaixa la veu, dona!

Una vegada més, la nena va comprovar de la pitjor manera que escoltar d'amagat els teus pares pot ser un joc molt perillós. Sempre acabes sentint coses que et podries haver estalviat. A part, en Bunyolet no feia les seves marranades pertot arreu.

La Zoe sempre tenia cura de recollir amb paper higiènic els excrements que deixava l'hàmster durant les excursions secretes al voltant de l'habitació, i després els llençava al vàter i tirava la cadena.

—Aleshores duré la gàbia a la casa d'empenyorament —va dir el pare—. Potser em donaran algun calé.

—Jo duré la gàbia a la *cassa* d'empenyorament —va dir agressivament la seva dona—. Tu t'ho gastaries tot al pub.

—Però...

—I ara llença aquesta bèstia a les escombraries.

—He promès a la Zoe que l'enterraria com Déu mana, al parc. Ella s'estimava en Bunyolet. Li ensenyava trucs i tot.

—Eren patètics. PATÈTICS! Un *àmster* que balla *break dance*? Quina bestiesa!

—Això no és just!

—I no vull que tornis a sortir. No me'n refio, de tu. Segur que tornaries al pub.

—Ja han tancat.

—Et conec massa bé. Ets capaç d'esperar a la porta fins que obrin demà al matí... Vinga, dóname'l!

La Zoe va sentir el peuot de la madrastra que trepitjava estrepitosament el pedal del cubell de les escombraries, i després un so somort.

Amb les llàgrimes regalimant galtes avall, la Zoe es va estirar al llit i es va tapar amb el cobrellit. Es va posar del costat dret, i malgrat la poca llum que hi havia es va quedar mirant la gàbia, com feia totes les nits.

Veure-la buida era angoixant. La nena va tancar els ulls, però no podia dormir. Li feia mal el cap, el cervell li donava voltes. Estava trista, estava indignada, estava trista, estava indignada, estava trista. Es va posar del costat esquerre. Potser seria més fàcil dormir de cara a la paret llardosa que no de cara a la gàbia buida. Va tornar a tancar els ulls, però només podia pensar en en Bunyolet.

I això que pensar no era gaire fàcil, amb el soroll que arribava del pis del costat. La Zoe no sabia qui hi vivia —els veïns del bloc no s'avenien gaire—, però gairebé totes les nits sentia que cridaven. Semblava un home que escridassava la seva filla. Sovint ella es posava a plorar, i a la Zoe li feia llàstima, fos qui fos. La vida de la Zoe era un desastre, però la d'aquella nena sonava encara pitjor. Finalment, la Zoe es va poder aïllar dels crits, i de seguida es va quedar adormida, somniant en Bunyolet, que feia *break dance* al paradís...

5

Excrements

L'endemà al matí, la Zoe va sortir cap a l'escola amb menys ganes que mai. En Bunyolet era mort, i els somnis de la nena també havien mort amb ell. Quan estava a punt de sortir de l'edifici, la Tina li va tirar una escopinada al cap, com feia sempre. Mentre es netejava l'escopinada amb una pàgina de la llibreta d'exercicis, la Zoe va veure el seu pare ajupit en una diminuta porció de gespa.

Semblava que estigués excavant amb les mans.

Es va girar ràpidament, com si l'haguessin agafat per sorpresa.

—Ah, hola, reina meva...

—Què fas? —va dir la Zoe. Es va inclinar al seu costat per saber què feia, i va veure que el paquetet que contenia en Bunyolet era a terra, al costat d'un petit monticle de sorra.

—No ho diguis a la teva mare...

—Madrastra!

—No ho diguis a la teva madrastra, però he tret el pobre animal de les escombraries...

—Oh, papa!

—La Sheila encara dorm, ronca com una condemnada. Em sembla que no ha sentit res. En Bunyolet significava molt per a tu, i només volia enterrar-lo com Déu mana.

La Zoe va somriure per un instant, però de sobte es va posar a plorar.

—Oh, papa, moltes gràcies...

—Però no diguis ni una paraula sobre això, o em matarà.

—És clar que no.

La Zoe es va agenollar al costat del seu pare, va agafar el paquetet i va dipositar en Bunyolet en la petita fossa que ell havia cavat.

—Fins i tot he agafat això per fer una làpida. És un d'aquells pals de gelat que fèiem servir a la fàbrica.

La Zoe es va treure un bolígraf rosegat de la butxaca, va escriure «Bunyolet» al pal, però no hi havia prou espai ni per a la «e» ni per a la «t» de manera que hi posava: BUNYOL.

El pare de la Zoe va omplir la cavitat, tots dos es van posar drets i van contemplar la petita tomba.

—Gràcies, papa. Ets el millor.

Ara era el seu pare qui plorava.

—Què passa? —va preguntar la Zoe.

—No sóc el millor. Ho sento molt, Zoe. Però un dia aconseguiré una altra feina. Sé que ho faré...

—Papa, la feina no és tan important. Jo només vull que siguis feliç.

—No vull que em vegis així...

El pare de la Zoe va començar a allunyar-se. La Zoe el va agafar pel braç, però ell es va separar i va agafar el camí de tornada cap al bloc de pisos.

—Papa, vine a buscar-me a l'escola, després. Podem anar al parc, i em pots portar a collibè. Abans m'encantava. I no costa ni un cèntim.

—Ho sento, seré al pub. Que passis un bon dia a l'escola —va cridar, sense girar-se.

Intentava amagar la pròpia infelicitat a la seva filla, com feia sempre.

La Zoe va notar una fiblada de gana a l'estómac. La nit anterior no havia sopat perquè la Sheila s'havia gastat tots els diners del subsidi en tabac, i a la casa no hi quedava menjar. Feia molt temps que la Zoe no menjava. De manera que es va aturar al quiosc d'en Raj.

Tots els nens de l'escola anaven al quiosc abans o després de les classes. Com que a la Zoe no li donaven setmanada, només anava a la botiga per contemplar àvidament els dolços. En Raj, com que tenia un cor molt gran, sovint s'apiadava de la nena i li'n donava alguns sense cobrar. Acostumaven a estar caducats, o una mica florits, però ella l'hi agraïa igualment. De vegades en Raj li deixava que fes una xuclada ràpida a un caramel de menta abans de tornar-lo a embolicar per vendre'l a un altre client.

Aquell matí la Zoe estava especialment afamada, i tenia l'esperança que en Raj l'ajudaria...

RING!, va sonar la campana quan es va obrir la porta.

—Ah! La senyoreta Zoe. La meva clienta favorita.

En Raj era un home alegre i corpulent, que sempre tenia un somriure als llavis, encara que li diguessis que se li estava cremant la botiga.

—Hola, Raj —va dir la Zoe tímidament—. Em temo que avui tampoc porto diners.

—Ni un cèntim?

—No res. Ho sento.

—Ostres. Però fas cara de tenir gana. Vols fer una mossegada ràpida a una d'aquestes barretes de xocolata?

Va agafar una barreta i la va desembolicar.

—Prova de menjar-ne només la vora, sisplau. Així podré tornar-la a embolicar i la posaré un altre cop a la venda. El pròxim client mai no se n'assabentarà!

La Zoe va mossegar àvidament la xocolatina, rosegant les vores amb les dents incisives com si fos un petit rosegador.

—Sembles molt trista, noia —va dir en Raj. Sempre se n'adonava, quan les coses no anaven bé, i era molt més sol·lícit que alguns pares i professors—. Has plorat?

La Zoe va deixar de mossegar un instant i el va mirar. Les llàgrimes seguien omplint-li els ulls.

—No, Raj, estic bé. Només tinc gana.

—No, senyoreta Zoe, és evident que hi ha algun problema.

Es va inclinar sobre el mostrador i li va oferir un somriure de suport.

La Zoe va respirar fondo.

—El meu hàmster s'ha mort.

—Ostres, senyoreta Zoe, ho sento molt.

—Gràcies.

—Pobreta. Fa uns anys vaig tenir un capgròs de mascota i se'm va morir, de manera que sé com et sents.

La Zoe el va mirar amb sorpresa.

—Un capgròs de mascota?

No havia sentit mai que ningú en tingués un.

—Sí, es deia Poppadom. Una nit el vaig deixar nedant en la petita peixera, i quan em vaig llevar l'endemà al matí hi havia una granota tota satisfeta. Suposo que es devia menjar en Poppadom!

La Zoe no es podia creure el que estava sentint.

—Raj...

—Sí? —L'home del quiosc s'estava netejant una llàgrima amb la màniga del jersei—. Ho sento, sempre m'emociono quan recordo en Poppadom.

—Raj, els capgrossos es converteixen en granotes.

—No siguis ximpleta, nena!

—De veritat. Aquella granota era en Poppadom.

—Entenc que em vulguis fer sentir millor, però sé perfectament que no és veritat.

La Zoe va posar els ulls en blanc.

—I ara parla'm del teu hàmster...

—És... vull dir, era, molt especial. Li vaig ensenyar a ballar *break dance*.

—Ostres! Com es deia?

—Bunyolet —va dir la Zoe amb tristesa—. El meu somni era que un dia sortís per televisió...

En Raj va reflexionar un moment, i després va mirar la Zoe als ulls.

—Joveneta, no has de renunciar mai als teus somnis...

—Però en Bunyolet és mort...

—Sí, però el teu somni no ha de morir mai. Els somnis no moren mai. Si vas ser capaç d'ensenyar a un hàmster a fer *break dance*, senyoreta Zoe, imagina el que podries fer...

—Suposo que sí...

En Raj va mirar el rellotge.

—Ho sento, però per molt que m'agradi, no em puc passar tot el dia xerrant.

—No? —a la Zoe li queia molt bé en Raj, encara que no sabés que els capgrossos es converteixen en granotes, i que mai volgués sortir del seu quiosc petit i desendreçat.

—Ara serà millor que vagis cap a l'escola, joveneta. No facis tard!

—Suposo que sí —va murmurar la Zoe. De vegades es preguntava per què no feia campana, com molts altres nens.

En Raj va fer un gest amb les manotes.

—Vinga, senyorcta Zoe, torna'm la xocolatina, sisplau, perquè la pugui tornar a posar a la venda...

La Zoe es va mirar les mans. La xocolatina havia desaparegut. Tenia tanta gana que havia devorat fins l'últim bocí, excepte una petita presa.

—Ho sento molt, Raj. No volia fer-ho. De veritat que no!

—Ja ho sé, ja ho sé —va dir l'home amb amabilitat—. Posa el tros a l'embolcall. Puc vendre-la com a xocolatina especial de règim a alguna persona grassa com jo!

—Bona idea! —va dir la nena.

La Zoe va anar cap a la porta, i es va girar per mirar l'home.

—Moltes gràcies. No solament per la xocolatina. També pel consell...

—Quan ho necessitis, no et cobraré mai per cap de les dues coses, senyoreta Zoe. I ara vés tirant...

A l'escola, les paraules d'en Raj van ocupar els pensaments de la Zoe durant tot el dia, però quan va tornar al pis va sentir la mateixa sensació d'absència. En Bunyolet se n'havia anat. Per sempre.

Van passar els dies, després les setmanes, després els mesos. Era incapaç d'oblidar en Bunyolet. Era un hàmster molt especial. I li havia donat moltes alegries en un món ple de dolor. D'ençà que havia mort, la Zoe tenia la sensació que s'obria pas enmig d'una tempesta. Molt a poc a poc, a mesura que passaven els dies i les setmanes, la pluja es va anar fent una mica més lleugera. Per bé que el sol no acabava mai de sortir.

Fins que una nit, mesos més tard, va passar una cosa completament inesperada.

La Zoe estava estirada al llit després d'un altre dia insofrible a l'escola on era víctima dels abusos dels pinxos i de l'odiosa Tina Trotts en particular. Se sentien crits al pis costat, com de costum. Aleshores, en un breu moment de silenci, va sentir un sorollet. Al començament va ser tan suau que era gairebé imperceptible. Després es va anar fent més fort. I més fort.

Semblava que algú estigués rosegant.

«Estic somniant?», va pensar la Zoe. «És un d'aquests somnis estranys en els quals m'estic ajaguda al llit, desperta?»

Va obrir els ulls. No, no estava somniant.

Alguna cosa petita es bellugava per l'habitació.

Per un instant, la Zoe va pensar que potser era el fantasma d'en Bunyolet. En els darrers dies havia trobat petites restes d'excrements al dormitori. «No siguis beneita, deuen ser brins de pols amb formes estranyes, res més.»

Al principi només va poder veure una petita forma ombrívola en un racó, al costat de la porta. Va baixar silenciosament del llit per donar-hi una ullada de més a prop. Era una criatura petita, bruta i una mica pudenta. Els taulons de fusta polsosos cruixien una mica sota el seu pes.

La criatura es va girar.

Era una rata.

6

Ra-ta-ta-tà

Quan penseu en la paraula «rata», quines altres coses us vénen al cap immediatament?

Rata... paràsit?

Rata... claveguera?

Rata... malalties?

Rata... mossegada?

Rata... plaga?

Rata... ratera?

Rata... ra-ta-ta-tà?

Les rates són els éssers vius menys estimats del planeta.

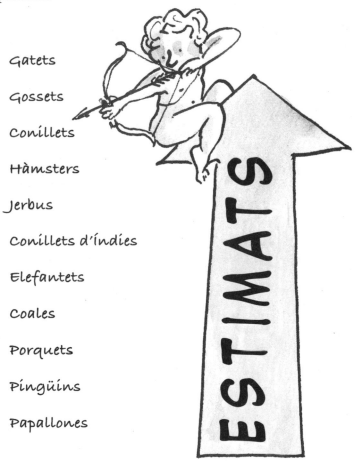

Gatets

Gossets

Conillets

Hàmsters

Jerbus

Conillets d'índies

Elefantets

Coales

Porquets

Pingüins

Papallones

ESTIMATS

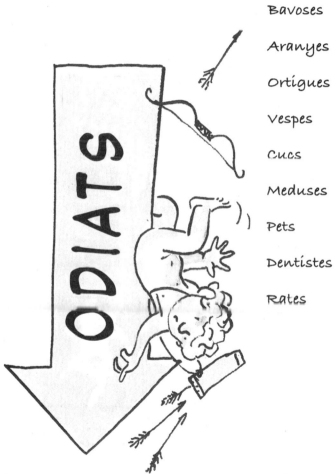

Bavoses

Aranyes

Ortigues

Vespes

Cucs

Meduses

Pets

Dentistes

Rates

Però, i si us digués que l'animal que la Zoe va trobar a la seva habitació era un bebè de rata?

Doncs sí, era la cria de rata més bufona, més dolça, més petita que us pugueu imaginar, i estava arraulida en un racó de l'habitació, rosegant un dels mitjons bruts i plens de forats de la Zoe. Amb el nassarró rosat i arrufat, i els ulls enormes, profunds i esperançats, aquella rata podria haver guanyat el primer premi en un concurs de bellesa de bestioles. La seva presència explicava els excrements misteriosos que la Zoe havia trobat recentment a la seva habitació: devia haver estat aquesta petitona.

Bé, el que és segur és que no havia estat jo.

La Zoe sempre havia pensat que el dia que veiés una rata sentiria terror. La seva madrastra fins i tot tenia un flascó de mata-rates a la cuina, perquè sovint es parlava de la possibilitat que hi hagués una plaga en el bloc d'apartaments atrotinats.

Però aquesta rata no feia gens de por. En tot cas, de fet, era la rata qui semblava aterrida d'haver vist la Zoe. Els taulons del terra van cruixir sota els peus de la nena, i la rata va arrencar a córrer arrambada a la paret i es va amagar sota el llit.

—No tinguis por, petita —va xiuxiuejar la Zoe.

Molt a poc a poc, va ficar la mà sota el llit per intentar acaronar la rata. Al començament va tremolar de por, i se li van posar tots els pèls de punta.

—Tranquil·la, tranquil·la —va dir la Zoe, reconfortant-la.

De mica en mica, la rata es va anar obrint pas entre el jardí de pols i brutícia que niava sota l'inestable llitet de la Zoe i es va acostar a la mà de la nena. Li va olorar els dits, i llavors en va llepar un, i després un altre. La Sheila era massa gandula per cuinar, i la Zoe tenia tanta gana que li havia robat una d'aquelles detestables bosses de patates xips amb gust de còctel de gambes per sopar. Segurament la rata va sentir aquella olor als dits de la nena, i malgrat els greus dubtes que despertava en la Zoe aquell aperitiu, que no tenia res a veure amb les gambes ni tampoc amb els còctels, a la rata no li va molestar gens.

La Zoe va deixar anar una rialleta. Les rosegades li feien pessigolles. Va aixecar la mà per acaronar la rata, i ella va passar per sota i va córrer cap al racó oposat de l'habitació.

—Tranquil·la, vine aquí. Només vull fer-te una carícia —va implorar la Zoe.

La rata se la va mirar desconfiada, però llavors, tímidament, urpa a urpa, va anar avançant cap a la mà. La nena li va raspallar el pèl amb el dit tan tendrament com va poder. El pèl era molt més suau del que havia imaginat. No tan suau com el d'en Bunyolet, això era impossible. Però, malgrat tot, era sorprenentment suau.

Un per un, els dits de la Zoe es van anar enfonsant, i aviat ja estava fent carícies al cap de la rata. Li va fer un massatge al coll i a l'esquena. La rata arquejava l'esquena per adaptar-se millor a la mà.

És probable que ningú li hagués mostrat mai tanta tendresa. En tot cas, un ésser humà segur que no. I no només perquè al món hi havia prou verí per matar deu vegades totes les rates que existien, sinó perquè, quan la gent veia una rata, només es preveien dues reaccions: cridar o agafar una escombra per baquetejar-la.

I ara que contemplava aquella petitona, a la Zoe li costava d'entendre com era possible que algú li pogués voler cap mal.

De sobte, les orelletes de la rata es van disparar cap dalt i la Zoe va girar ràpidament el cap. La porta del dormitori dels seus pares s'estava obrint, i va sentir la madrastra que avançava sorollosament pel passadís, esbufegant a cada pas. Immediatament, la Zoe va agafar la rata, la va amagar dintre les mans, i va tornar a ficar-se al llit. La Sheila es posaria furiosa si s'assabentava que la seva fillastra era al llit abraçada a un rosegador. La Zoe va agafar el cobrellit amb les dents i es va amagar sota els llençols. Va esperar i va escoltar. La porta de la cambra de bany va grinyolar i es va tancar, i la Zoe va sentir el soroll somort de la seva madrastra en deixar-se caure pesadament damunt de la tassa de vàter esquerdada.

La Zoe va sospirar i va obrir les mans. La rateta s'havia salvat. De moment. Va deixar que el petit rosegador vagaregés per sobre de les mans i de la part superior del pijama esquinçat.

—Petó, petó, petó, petó.

Va fer un sorollet de petó, com feia sempre amb en Bunyolet. I com l'hàmster, la rata se li va acostar a la cara.

La Zoe li va plantar un petó al nas. Va fer una cavitat al coixí, al costat del seu cap, i hi va dipositar suaument la rata. Hi encaixava perfectament, i aviat va sentir que començava a roncar al seu costat.

Si no heu sentit mai roncar una rata, sona més o menys així:

Zzzzzzzzzzzzzzzzzzzzzzzzzz
z z z z z z z z z z z z z z z z z z z z z
zzzzzzzzzzzzzzzzzz.

—Si fas tant de soroll, com vols que et guardi en secret? —va xiuxiuejar la Zoe.

7

Contraban d'animals

No és fàcil passar de contraban una rata a l'escola.

L'animal més difícil d'introduir en una escola és, per descomptat, la balena blava. És massa gran i massa humida.

Els hipopòtams també són difícils d'entrar dissimuladament, i les girafes, també. Massa grassos i massa altes, respectivament.

Els lleons, millor que no. Els brams els delaten.

Les foques xisclen massa. I les morses, també.

Les mofetes fan molta pudor, més encara que alguns mestres.

Els cangurs no paren mai de saltar.

Els *boobies** són molt mal educats.

Els elefants tenen tendència a trencar les cadires.

Un estruç et portarà fins a l'escola molt de pressa, però és massa gran per amagar-lo a la cartera.

Els óssos polars es camuflen molt bé en la immensitat de l'Àrtic, però en canvi a l'escola són molt fàcils de descobrir quan es posen a la cua del menjador escolar.

Passar de contraban un tauró a l'escola comportaria l'expulsió immediata, sobretot si aquell

---

* Un *booby* és un tipus d'ocell marí de la família dels mascarells. Per si de cas havíeu pensat que m'ho havia inventat per fer un acudit dolent. En seria incapaç!

dia hi ha classe de natació. Tenen la mania de menjar-se els nens.

Els orangutans tampoc van gens bé. No saben comportar-se a classe.

Els goril·les són encara pitjors, especialment a classe de Matemàtiques. Els goril·les no són gens bons amb les xifres, i odien fer sumes, per bé que són sorprenentment bons en Francès.

Un ramat de nyus és gairebé impossible de ficar a l'escola sense que se n'adoni algun professor.

Els polls, en canvi, són ridículament fàcils. Hi ha nens que passen milers de polls de contraban cada dia.

Passar de contraban una rata a l'escola té una certa dificultat. Ho podríem situar en un lloc intermedi entre la balena blava i el poll, a l'escala dels animals «difícils d'introduir a l'escola».

El problema de la Zoe era que no podia deixar a casa aquella coseta. La gàbia vella i tronada d'en Bunyolet feia molt que havia desaparegut, perquè la madrastra l'havia dut a la casa d'empenyorament. Aquella dona repulsiva l'havia canviat per unes quantes monedes, que ràpidament havia gastat en una caixa gegant de patates xips amb gust de còctel de gambes. Trenta-sis bosses que s'havia cruspit abans de l'hora d'esmorzar.

La Zoe sabia perfectament que si deixava córrer la rata lliurement per la casa la Sheila l'enverinaria, la mataria a trepitjades, o totes dues coses alhora. La madrastra no amagava gens el seu odi per tots els rosegadors. I encara que la Zoe hagués amagat la rata a l'armari del dormitori, o en una capsa sota el llit, hi havia moltes possibilitats que la Sheila la trobés. La Zoe sabia que la madrastra sempre remenava les seves coses tan bon punt ella sortia de casa per anar a l'escola. La Sheila buscava coses per vendre o per intercanviar per un parell de cigarrets, o per més patates xips amb gust de còctel de gambes.

Una vegada van desaparèixer totes les joguines de la Zoe, un altre dia van ser els llibres que li agradaven tant. Era massa arriscat deixar la rata sola a casa amb aquella bruixa.

La Zoe es va plantejar ficar-se la rata a la cartera de l'escola, però com que era tan pobra havia de dur els llibres en una bossa de plàstic rebregada, aguantada amb tires de cinta adhesiva enganxosa. Era massa arriscat perquè el petit rosegador podia trencar-la amb les dents i sortir-ne. Per això, la Zoe la va amagar a la butxaca interior de l'americana, dues talles massa gran. És cert que notava que es bellugava constantment, però almenys sabia que estava en un lloc segur.

Quan la Zoe va sortir del bloc d'apartaments a la zona comunitària asfaltada, va sentir un crit des de dalt.

—Zoe!

Va alçar al vista.

Gran error.

Una enorme escopinada li va aterrar directament a la cara. La Zoe va veure la Tina Trotts recolzada a la barana, alguns pisos més amunt.

—HA, HA, HA! —va cridar la Tina.

La Zoe no volia plorar. Es va netejar la cara amb la màniga i va fer mitja volta, amb les rialles de la Tina perseguint-la com un eco. Probablement hauria plorat, però quan va notar la rateta bellugant-se dins de la butxaca, immediatament es va sentir millor.

«Ja torno a tenir una mascota», va pensar. «És veritat que només és una rata, però això tot just és el començament...»

Potser en Raj tenia raó: el somni que ella tenia d'ensinistrar un animal perquè entretingués tot el país encara continuava viu.

La presència de la rata seguia reconfortant la Zoe quan va arribar a l'escola. Era el primer any que anava a l'escola dels grans, i encara no havia fet ni un sol amic. La major part dels nens eren pobres, però la Zoe era la més pobra de tots. Li feia molta vergonya haver d'anar a classe amb roba dels centres de beneficència sense rentar. Li acostumava a anar massa gran o massa petita, i normalment era tan plena de forats que feia basarda. La sola de goma de la sabata esquerra s'havia desenganxat, i anava picant contra el terra cada vegada que feia un pas.

FLIP FLAP FLIP FLAP FLIP FLAP, feien les sabates quan caminava.

FLIPITI FLAP FLIPITI FLAP FLIPITI FLAP, feien quan corria.

A l'escola s'havia convocat una assemblea, i després d'anunciar-se un concurs de talents per a la festa de final de curs, el senyor Grave, el director de l'escola, va pujar a l'estrada. Ocupava la part central de l'escenari, i mirava sense parpellejar els centenars d'alumnes reunits a la gran sala d'actes. Tots els nens li tenien una mica de por. Amb aquells ulls penetrants i aquella pell tan pàllida, entre els alumnes més joves corria el rumor que en realitat era un vampir.

El senyor Grave va llançar una severa advertència a aquells «alumnes desobedients» que, en contra del que deien les normes, havien entrat a l'escola amb telèfons mòbils. Això incloïa pràcticament tothom, per bé que la Zoe estava massa pelada per somniar tenir-ne un algun dia.

«Fantàstic», va pensar la Zoe. «Fins i tot quan ens renyen, em deixen de banda.»

—No cal dir que no parlo només de telèfons mòbils! —va bramar el senyor Grave, com si li hagués llegit la ment, a la Zoe. Aquella veu era capaç d'imposar-se al rebombori dels alumnes que s'estan al pati a l'hora de l'esbarjo i fer que tots callessin en un instant—. Qualsevol cosa que faci sorollets o que vibri està estrictament prohibida! M'heu sentit? —va tornar a bramar—. Prohibida! Això és tot. Podeu marxar.

Va sonar la campana i els nens van tornar lentament i de mala gana cap a les classes. Asseguda en una incòmoda cadireta de plàstic de color gris, sola a la darrera filera de la sala d'actes, la Zoe es preguntava tota nerviosa si la seva rata encaixava amb la descripció del senyor Grave. Certa-

ment, vibrava. I de vegades feia sorollets. O al-
menys gemegava.

—Avui no facis gens de soroll, rateta —li va dir.

La rata va fer un xisclet.

«Oh, no!», va pensar la Zoe.

8

Entrepà de pa

Per evitar que l'empentessin a la porta, la Zoe es va esperar una mica abans de dirigir-se sense cap pressa a la primera classe del dia. Sorprenentment, la lliçó de Matemàtiques, que ella sempre trobava catastròficament avorrida, va passar sense cap incident. Va passar el mateix amb Geografia, on es va arribar a preguntar si els coneixements acabats d'adquirir sobre llacs i meandres li servirien d'alguna cosa en la vida adulta. Durant les classes, de tant en tant la Zoe mirava dissimuladament la butxaca interior de l'americana, i veia que la rateta estava adormida. Semblava que li encantava fer la migdiada.

A l'hora del pati, la Zoe es va tancar en un compartiment del lavabo de noies i va donar menjar a la rata: una part del pa que en teoria guardava per dinar. Sempre que quedaven restes de menjar a la casa, ella es feia un farcellet i se l'enduia per dinar. Però aquell matí no hi havia absolutament res a la nevera, excepte algunes llaunes de cervesa, de manera que es va fer un entrepà de pa amb algunes llesques seques que va trobar per allà...

La recepta era simple:

ENTREPÀ DE PA

Instruccions: agafes una llesca de pa i la poses enmig de dues llesques de pa.

Fi.*

---

* El meu nou llibre de cuina, *101 maneres de preparar un entrepà de pa*, sortirà l'any vinent.

Naturalment, a la rata li agradava el pa. A les rates els agrada gairebé tot el menjar que ens agrada a nosaltres.

La Zoe va seure a la tassa del vàter, i la rata s'estava incorporada a la seva maneta esquerra mentre ella li donava el menjar amb la dreta. Va empassar-se fins a la darrera queixalada.

—Aquí tens, petita...

Llavors, la Zoe es va adonar que encara no havia batejat la seva amigueta. Llevat que li posés un nom que valgués tant per a un noi com per a una noia, com «Pat», «Les» o «Viv», primer hauria de descobrir si efectivament era un noi o una noia. De manera que la Zoe va agafar la rata amb molt de compte per mirar-la de més a prop. Just quan estava a punt de dur a terme una inspecció més completa, un arc esprimatxat de líquid groc va sortir disparat de sota la panxa de la rata, va decorar la paret, i no va ruixar la Zoe de ben poc.

Ara la nena tenia una resposta concloent. Estava convençuda que el pipí havia sortit d'un petit broc, tot i que ara era impossible tornar-ho a mirar perquè la rata es retorçava entre les seves mans.

Però estava segura que era un noi.

La Zoe va alçar la vista en busca d'inspiració. A la porta del lavabo, algunes nenes més grans havien ratllat frases obscenes amb un compàs.

—«La Destiny és una @**$$$$&!%^!%!!!! total», va llegir la Zoe, i crec que tots estarem

d'acord que escriure això és una gran impertinèn-
cia, encara que sigui veritat.

Destiny hauria estat un nom molt estúpid per a
una rata. Sobretot si la rata era un noi, va pensar la
nena. La Zoe va seguir buscant noms a la porta per
inspirar-se.

Rochelle... no.

Darius... no.

Busta... no.

Tupac... no.

Jammaall... no.

Snoop... no.

Meredith... no.

Kylie... no.

Beyonce... no.

Tyrone... no.

Chantelle... no.

Per bé que estava tota plena de noms (i de dibuixos obscens), la porta del lavabo no donava gaire de si com a font d'inspiració. Quina llàstima! Es va aixecar de la tassa i es va girar per tirar la cadena, per no despertar les sospites de la nena que acabava d'entrar a l'escusat del costat. Llavors es va fixar en una inscripció molt refinada enmig de les taques de brutícia incrustades a la tassa del vàter.

«Armitage Shanks», va llegir en veu alta. Devia ser el nom del fabricant, però les orelletes de la rata es van alçar a l'acte, com si s'hagués reconegut en aquell nom.

—Ja ho tinc! Armitage! —va exclamar la Zoe. Era un nom adequadament elegant per a un amic tan especial.

De sobte es van sentir uns cops fortíssims a la porta del lavabo.

BUM!
BUUM, BUUM!
BUUUUM!

—Qui hi tens, aquí dins, caganera? —va fer una veu gutural des de fora.

«No!», va pensar la Zoe. «És la Tina Trotts.» La saliva de l'escopinada d'aquell matí encara no havia desaparegut del tot de la carona pigada de la Zoe.

La Tina només tenia catorze anys, però era corpulenta com un camioner. Tenia unes mans enormes per donar cops de puny, uns peus de gegant per ventar coces, una testa immensa per clavar cops de cap, i un cul gros per aixafar.

Fins i tot els professors li tenien por. Dins del compartiment, la Zoe tremolava.

—No hi ha ningú —va dir la Zoe.

«Per què he dit això?» va pensar immediatament. El simple fet de dir que no hi havia ningú implicava que, sense cap mena de dubte, cent per cent segur, hi havia algú.

La Zoe es trobava en un perill imminent, però només si obria la porta. De moment estava segura, a dins de...

—Surt de la cagadora immediatament o ensorro la porta! —va amenaçar la Tina.

Déu meu.

9

Una sabata

La Zoe va tornar a ficar ràpidament l'Armitage a la butxaca de l'americana.

—Estic fent pipí! —va dir. Aleshores va fer un soroll una mica llastimós amb l'esperança que semblés l'aigua quan pica sobre la porcellana, tot prement els llavis i bufant. Va acabar sonant més aviat com el xiuxiueig d'una serp.

Ppppppppppppppppppppppsssssssssssssssss ssssssssssssssssssssssssssssssssssssssssssssssssssss ssssssssss..................

Evidentment, amb allò la Zoe esperava poder convèncer la Tina Trotts que estava fent servir el vàter només amb propòsits legítims, i no per donar un entrepà de pa a un rosegador de cua llarga.

Aleshores la Zoe va respirar fondo i va obrir la porta del lavabo. La Tina es va mirar la Zoe amb menyspreu. Dues de les seves goril·les habituals la flanquejaven.

—Hola, Tina —va dir la Zoe amb una veu unes quantes octaves més aguda del que era habitual. En mirar de fer-se la innocent, en realitat tenia la sensació que havia sonat com algú que és absolutament culpable.

—Ah, ets tu! Amb qui parlaves, Cara de Ferro? —va exigir la Tina, ficant el cap al compartiment.

—Amb mi mateixa —va dir la Zoe—. Sovint parlo amb mi mateixa quan estic canviant l'aigua al canari...

—Canviant el què?!

—D'això... quan estic fent pipí. I ara, si em disculpes, he d'anar tirant cap a classe d'Història...

Dit això, la petita pèl-roja va intentar passar per davant de la Tina i els seus soldats rasos.

—No tan de pressa —va dir la Tina—. Aquestes cagadores són propietat meva i de la meva banda. Aquí dintre venem material robat. O sigui que si no vols comprar-me una vamba que hem pispat, aquí no se t'ha perdut res!

—Vols dir un parell de vambes? —va preguntar la Zoe.

—No, vull dir una vamba. Als prestatges només en posen una, o sigui que és molt més fàcil robar-ne una que totes dues.

—Mmmm —va reflexionar la Zoe, no gaire segura que ningú que tingués dos peus volgués comprar una sola sabata.

—Escolta, pèl de panotxa —va continuar la busca-raons—. No t'hi volem, a les nostres cagadores. Em sents? Foragites els clients, parlant sola com una boja...

—Entesos —va murmurar la Zoe—. Ho sento molt, Tina.

—Ara dóna'ns els diners —va ordenar la Tina.

—No en tinc —va respondre la Zoe.

No mentia. Feia anys que el seu pare vivia de la beneficència, i per tant ella mai no havia tingut setmanada. De camí a l'escola acostumava a escodrinyar l'asfalt per si trobava alguna moneda. Un dia especialment afortunat havia trobat un bitllet de cinc lliures en una cuneta! Estava mullat, estava brut, però era seu. Va tornar cap a casa encantada de la vida, fent saltirons, i es va aturar al quiosc d'en Raj per comprar una capsa sencera de bombons per compartir amb la seva família. Però abans que el pare de la Zoe arribés a casa, la seva madrastra ja els havia endrapat tots, fins i tot aquells tan dolents que estan farcits de licor, i després es va cruspir la bossa i tot.

—No tens diners? I vols que m'ho cregui? —va enfarfollar-se la Tina. Enfarfollar-se és una mica com entrebancar-se parlant, però amb la diferència que l'altra persona acaba esquitxada de capellans.

—Què vols dir? —va dir la Zoe—. Vivim al mateix edifici. Saps perfectament que no tinc diners.

La Tina va fer un somriure burleta.

—Aposto que et donen setmanada. Sempre et passeges com si fossis la reina de la finca. Noies, agafeu-la.

Com si fossin soldats, les goril·les van encerclar la nostra petita heroïna, i la van subjectar fortament pels braços.

—Ahhh! —va cridar la Zoe, adolorida. Les nenes li clavaven les ungles als bracets mentre les mans brutes de la Tina li regiraven les butxaques.

El cor de la Zoe es va accelerar. La rata Armitage dormia plàcidament a la butxaca interior de l'americana. Els dits rodanxons de la Tina burxaven i escorcollaven pertot arreu. En qüestió de segons tocarien el petit rosegador, i la vida escolar de la Zoe canviaria per sempre.

Entrar una rata a l'escola no és una cosa que puguis deixar mai enrere.

Una vegada, un nen una mica més gran havia ensenyat el cul per la finestra de l'autocar durant una excursió al museu del ferrocarril, i des d'aleshores tothom li deia «cul pelut», fins i tot els professors!

El temps es va alentir i després es va accelerar, perquè l'escorcoll de la Tina, tot i que buscava diners, conduïa inevitablement a la butxaca interior de la Zoe. Va grapejar amb els dits i va colpejar el pobre Armitage al nas.

—Què és això? —va dir la Tina—. La panotxeta hi té una cosa viva, aquí dins.

Es veu que a l'Armitage no li va fer gaire gràcia que un ditot llardós li gratés el nas, perquè li va clavar una bona mossegada.

—Ai,ai,ai,ai,ai,ai,ai,ai,ai,ai,ai,ai,ai,
aaaaaaaaaaaaaaaaaaaaaaaaaaa
aaaaaaaaaaaaaaaaaaaaaaaaaaa
iiiiiiiiiiiiiiiiiiiiiiiiiiiiii
iiiiiiiiii...!!!!!! —va udolar la Tina.

La seva mà va sortir disparada de la butxaca de la Zoe, però l'Armitage hi seguia enganxat, aferrant-se amb les dentetes afilades, penjat del dit de la Tina.

Una sabata

—EEEEEEEEEeeeeeeeee
EEEEEEEEeeeeeeeeeeeee
eeeeeeeeeeeeeeeeeeeeeccccccccc
ccccccccccccccccccccssssssssssssssssssss
ssssssssssssssssssssssssssss!!!!!! —va udo-
lar la busca-raons—. És una rata!

10

La Nana

—Només és un cria de rata —va raonar la Zoe, intentant calmar la Tina. Tenia por que enclastés l'Armitage contra alguna cosa i la ferís.

La Tina va començar a sacsejar la mà violentament mentre corria donant voltes pel lavabo de noies, completament aterrida. Però la rateta es resistia a desenganxar-se. Les esbirros de la Tina s'havien quedat immòbils com estàtues, cercant en els seus cervells de mosquit una resposta apropiada davant la situació «rata enganxada a un dit».

No és gaire sorprenent que no se'ls acudís absolutament res.

—Estigues quieta —va dir la Zoe.

La Tina seguia donant voltes.

—T'he dit que t'estiguis quieta.

Aparentment sorpresa pel to autoritari de la nena dels cabells de color panotxa, la Tina es va aturar.

Amb precaució, com qui s'enfronta a un ós enrabiat, la Zoe va agafar la mà de la Tina.

—Vine amb mi, Armitage...

Amb molt de compte, va obrir el morro de la rata i va enretirar les afilades dents incisives de l'animal del dit de la noia.

—Ja està —va dir la Zoe a la manera d'un dentista que li acabés de posar un empastament lleugerament dolorós a un nen—. Vinga, vinga, que no n'hi ha per tant.

—La molt @**$$$$&!%^!%!!!! m'ha mossegat! —va protestar la Tina, delatant-se com la possible autora del missatge insultant de la porta del lavabo. La busca-raons es va examinar el dit, i va veure que sortien dues gotetes de sang de la punta.

—Tina, només són unes punxadetes de res —va replicar la Zoe.

Les dues goril·les van estirar els colls llargaruts per veure-ho millor, i van fer un moviment afirmatiu amb el cap, donant la raó a la Zoe. Això va enfurismar la Tina, i la cara se li va posar d'un color vermell abrandat, com si fos un volcà a punt d'entrar en erupció.

Per un instant va haver-hi un silenci funest.

«Estic a punt de morir», va pensar la Zoe. «Ara em matarà.»

En aquell moment va sonar la campana que anunciava el final de l'hora del pati.

—Bé, i ara, si ens disculpeu —va dir la Zoe, amb més calma de la que sentia—, l'Armitage i jo no volem arribar tard a classe d'Història.

—Per què es diu així? —va grunyir una de les guardaespatlles.

—Bé, és una història molt llarga —va dir la Zoe, que no pensava explicar que es deia igual que una tassa de vàter—. Potser en una altra ocasió. Adéu! Les tres busca-raons estaven massa commocionades per aturar-la. Protegint el seu amiguet dins el palmell de la mà, va sortir tranquil·lament dels lavabos. Just després de travessar la porta, es va adonar que no respirava, i que segurament faria bé de començar a fer-ho. Aleshores es va mirar l'Armitage i li va fer un petonet al front.

—Ets el meu àngel de la guarda! —va xiuxiuejar abans de tornar-lo a deixar amb molt de compte dins la butxaca de l'americana.

De sobte la Zoe es va adonar que la Tina i la seva banda la podien estar seguint, de manera que va accelerar el pas sense mirar enrere. El pas es va convertir en trot, el trot es va convertir en esprint, i abans d'adonar-se'n ja estava asseguda, esbufegant, a classe d'Història, que la feia la senyoreta

Nanny. Com que la professora d'Història era una dona excepcionalment baixa, inevitablement rebia el sobrenom de «senyoreta Nana», o simplement «la Nana», a seques.

La professora sempre duia unes botes altes de taló que feien que semblés encara més baixeta del que era en realitat. Però tot el que li mancava en alçada ho compensava en ferocitat.

senyoreta Nanny

Nan de jardí

Elf

Fada

Esperit

Follet

Les seves dents no haurien desentonat a la boca d'un cocodril. La dona descobria la dentadura cada cop que un alumne la molestava, cosa que passava sovint. Els nens no necessitaven fer gaire cosa per enfurismar-la, i fins i tot un esternut o una estossegada involuntària podien ocasionar un bram monstruós de la terrorífica però diminuta professora.

—Arribes tard —va grunyir la senyoreta Nanny.

—Ho sento, senyoreta Nana —va dir la Zoe, sense pensar.

Oh, no.

Alguns companys de classe van deixar anar unes rialletes, però van predominar els esbufecs de sorpresa. La Zoe estava tan acostumada a dir «senyoreta Nana» a la professora d'Història d'amagat d'ella que l'hi havia dit a la cara sense adonar-se'n!

—Què has dit? —va preguntar la senyoreta Nanny.

—He dit «Ho sento, senyoreta Nanny» —va barbotejar la Zoe. La suor que li havia produït la cursa des del lavabo de noies ara li sortia a raig per tots els porus. Semblava que l'hagués atrapada una tempesta de dimensions gegantines. L'Armitage també s'estava retorçant, probablement perquè la butxaca de l'americana que havia esdevingut la seva llar s'havia amarat de sobte d'una suor calenta. Allò devia semblar una sauna! Furtivament, la Zoe es va posar la mà contra el pit i va fer uns copets suaus per tranquil·litzar el seu amiguet.

—Si tornes a donar una sola mostra més de mal comportament —va dir la senyoreta Nanny—, no solament seràs expulsada d'aquesta classe, sinó també de l'escola.

La Zoe es va empassar saliva. Tot just acabava de començar el curs a l'escola dels grans, i no estava acostumada a tenir problemes. A l'escola dels petits mai no havia fet res mal fet, i la simple idea de fer alguna cosa dolenta ja l'espantava.

—I ara, continuem la lliçó. Avui aprendreu més coses sobre... la Pesta Negra! —va exclamar la senyoreta Nanny, i va escriure les dues paraules tan amunt de la pissarra com va ser capaç, que en realitat era a la part de baix de tot.

De fet, escriure a la pissarra era un veritable problema per a la senyoreta Nanny. De vegades ordenava a un nen que es posés a terra de quatre grapes.

Aleshores la professora en miniatura s'hi enfilava per poder arribar prou alt per esborrar les co-

ses que hi havia escrit el professor anterior. Si algun professor havia escrit molt amunt, simplement acumulava més nens i s'hi enfilava.

La Pesta Negra no figurava en el programa de l'assignatura, però la senyoreta Nanny l'ensenya-

va igualment. Corria la brama que, un any, tota la classe va suspendre l'examen final d'Història perquè en comptes de parlar-los sobre la reina Victòria s'havia passat tot el curs adelitant-los amb detalls dantescos sobre tortures medievals, penjaments i esquarteraments. La senyoreta Nanny només es dignava a ensenyar els passatges més horripilants de la història: decapitacions, fuetades, morts a la foguera. La professora somreia i mostrava la dentadura de cocodril sempre que sentia parlar de qualsevol cosa que fos cruel, brutal i bàrbara.

En realitat, aquell trimestre la senyoreta Nanny no deixava de parlar de la Pesta Negra. Era una obsessió absoluta. I no era gens estrany, perquè es tractava d'un dels períodes més foscos de la història de la humanitat. Al segle XIV, més de cent milions de persones havien mort per culpa d'una terrible malaltia contagiosa. Les víctimes quedaven cobertes d'horribles furóncols, vomitaven sang i es morien. La causa, segons havien après en la lliçó anterior, era simplement la pessigada d'una mosca.

—Uns furóncols de la mida de pomes! Imagineu-vos-ho. Vomitar fins que el que queda per treure ja només és la teva pròpia sang! No donaven l'abast, de tant cavar tombes! Era meravellós!

Tots els nens es miraven la senyoreta Nanny amb la boca oberta de terror. En aquell instant, el director, el senyor Grave, va entrar a l'aula sense trucar, arrossegant per terra l'abric llarg com si fos una capa. Els nens entremaliats de l'última filera, que s'havien passat la classe enviant missatges de text, van amagar ràpidament els telèfons mòbils sota el pupitre.

—Oh, senyor Grave, quina visita més plaent! —va dir la senyoreta Nanny, somrient—. Que ha vingut pel concurs de talents?

Feia temps que la Zoe sospitava que a la senyoreta Nanny li agradava el director. Aquell mateix matí, la Zoe havia passat per davant d'un cartell enganxat al passadís on s'anunciava el concurs de talents que la senyoreta Nanny havia organitzat. Evidentment, el pòster estava col·locat molt a baix, a l'alçada del genoll de la major part dels alumnes. Organitzar una cosa tan divertida no feia gens per a la senyoreta Nanny, i la Zoe pensava que potser ho havia fet només per impressionar el director. Era ben conegut que el senyor Grave, malgrat la seva aparença de vampir, era un gran amant de les obres escolars i d'aquesta mena d'esdeveniments.

—Bon dia, senyoreta Nana, vull dir senyoreta Nanny...

Ni tan sols el senyor Grave era capaç de no anomenar-la així!

El somriure de la professora d'Història es va esvair de cop.

—Em sap greu, però no es tracta del concurs de talents, per bé que li agraeixo tantíssim que l'hagi organitzat.

El rostre de la senyoreta Nanny es va tornar a il·luminar.

—No —va deixar anar el senyor Grave—. Dissortadament que es tracta d'una cosa molt més important.

El somriure va tornar a desaparèixer.

—D'això... —va continuar el director—. El conserge ha trobat uns... excrements al lavabo de noies.

11

La Pesta Negra

Tots els nens de la classe es van posar a riure per sota el nas quan el director va fer servir la paraula «excrements». Excepte la Zoe.

—Algú ha fet caca al terra del lavabo, senyor?! —va preguntar un dels nois, rient.

—No eren excrements de persona, sinó d'animal! —va cridar el director—. El senyor Bunsen, el cap de la secció de Ciències, els està estudiant ara mateix per esbrinar a quin animal pertanyen. Sospitem que podrien ser d'alguna mena de rosegador...

L'Armitage es va bellugar, i la Zoe es va empassar saliva. Devia haver-ne caigut alguna boleta a terra.

«No et moguis gens, Armitage», va pensar la Zoe.

Per desgràcia, l'Armitage no sabia llegir el pensament.

—Si algun alumne creu que pot dur la seva mascota a l'escola, deixeu que us recordi que està prohibit. Estrictament prohibit! —va declarar el director davant de la classe.

Per un moment va ser divertit veure els dos professors l'un al costat de l'altre, perquè la diferència de talla era abismal.

—Si algun alumne porta un animal a l'escola, que sàpiga que serà expulsat immediatament. Això és tot!

I dit això, va girar cua i va sortir de l'aula.

—Magistral! Adéu, senyor Grave...! —va cridar la senyoreta Nanny, contemplant melangiosament com l'home desapareixia. Llavors es va girar cap als alumnes—. Molt bé, ja heu sentit en Colin, vull dir el senyor Grave. Està prohibit entrar animals a l'escola.

Tots els nens es van mirar entre ells i van començar a xiuxiuejar.

—Dur un animal a l'escola? —va sentir la Zoe que es deien els uns als altres—. Qui pot ser tan estúpid?

La Zoe seia tan quieta com podia, i mirava endavant sense dir res.

—SILENCI! —va xisclar la senyoreta Nanny, i es va fer el silenci—. Ningú no ha dit que pugueu aprofitar l'ocasió per parlar! Ara tornem a la lliçó. La Pesta Negra.

Va subratllar aquestes tres paraules a la pissarra.

—Bé, doncs, com és possible que la malaltia mortal viatgés de la Xina fins a Europa? Algú m'ho pot dir? —va preguntar la professora sense girar-se. Era una d'aquestes professores que fan preguntes però que no esperen les respostes. Així, una mil·lèsima de segon més tard de formular la pregunta, va ser ella mateixa qui va respondre—. Ningú? Van ser les rates les que van portar la malaltia fatal. Les rates, a bord dels vaixells mercants.

La Zoe ja no notava el bellugueig de l'Armitage i va respirar d'alleujament. Es devia haver adormit.

—Però les rates no en van tenir la culpa, oi? —va deixar anar la Zoe, sense aixecar el braç. No podia creure que els re-re-re-re-rebesavis del seu amiguet poguessin ser responsables d'un patiment tan esfereïdor. L'Armitage era massa dolç per fer mal a ningú.

La senyoreta Nanny va fer la volta completa sobre els talons de les sabates (que per molt alts que fossin no aconseguien que la dona arribés a una estatura mitjana).

—Has dit alguna cosa, nena? —va murmurar, com si fos una bruixa que llança un encanteri.

—Sí, sí... —va dir la Zoe, que començava a penedir-se d'haver obert la boca—. Disculpi'm, senyoreta Nanny, només volia dir que no està bé culpar les rates d'aquesta malaltia terrible perquè no va ser culpa d'elles. Van ser les puces que viatjaven de gorra a l'esquena de les rates, les que en van tenir realment la culpa...

Ara tots els nens de la classe es miraven la Zoe amb incredulitat. Per bé que aquesta escola era particularment dura, i els mestres sovint havien de demanar la baixa per depressió nerviosa, ningú interrompia mai la senyoreta Nanny, i encara menys per sortir en defensa de les rates.

A la classe es va fer un silenci mortal. La Zoe va mirar al voltant. Tothom la mirava. Gairebé totes les nenes semblaven indignades, i gairebé tots els nens reien.

Aleshores, de cop i volta, la Zoe va notar una picor tremenda al cap. Era la picor més picant que mai li havia picat. En resum, picava molt.

«Què dimonis és això...?», es va preguntar.

—Zoe? —va dir la senyoreta Nanny, amb un somriure sorneguer i mirant atentament el punt exacte on la Zoe sentia la picor.

—Sí, senyoreta? —va preguntar la Zoe, amb una innocència perfecta.

—Tens una rata damunt del cap...

12

Expulsió immediata

Què és el pitjor que et pot passar a l'escola?

Arribar al matí, travessar el pati i adonar-te que t'has oblidat de posar-te la roba, a excepció de la corbata?

Que amb els nervis dels exàmens se't remogui l'estómac de tal manera que deixi anar una simfonia de pets?

Que marquis un gol en un partit de futbol i et posis a córrer per abraçar els companys d'equip i que el professor d'educació física et digui que en realitat ha estat gol en pròpia porta?

Que en investigar el teu arbre genealògic a classe d'Història descobreixis que estàs emparentat amb el director?

Que t'agafi un atac d'esternuts davant del cap d'estudis i el cobreixis de mocs de cap a peus?

Que t'equivoquis de data i pensant que hi ha una festa de disfresses a l'escola et passis tot el dia vestit com Lady Gaga?

Que estiguis interpretant Hamlet en l'obra de William Shakespeare i a la meitat del monòleg de «Ser o no ser...» la teva tieta s'aixequi d'entre el públic, pugi a l'escenari, escupi en un mocador de paper i te'l refregui per tota la cara?

Que et treguis les vambes després de jugar i la pudor de formatge florit sigui tan forta que hagin de tancar l'escola durant una setmana per fumigar-la?

Que a l'hora de dinar, al menjador, prenguis una sobredosi de mongeta blanca i et passis tota la tarda tirant-te pets?

Passar una rata d'amagat a la butxaca de l'americana a l'escola i que de sobte s'enfili al cap i s'hi assegui en plena classe?

Qualsevol d'aquestes coses seria suficient per afegir el nostre nom a la llista dels alumnes tristament famosos, és a dir, els que són famosos per les seves malifetes. I per culpa de «l'incident de la rata», la Zoe estava a punt d'entrar per sempre més en aquesta llista de la vergonya.

—Tens una rata damunt del cap —va repetir la senyoreta Nanny.

—Ah, de veritat? —va dir la Zoe, amb una innocència burleta.

—No et preocupis —va dir la senyoreta Nanny—. Queda't molt quieta i cridarem el conserge. Segur que ell podrà matar-la.

—Matar-la? No!

La Zoe es va posar la mà al cap, va alçar l'animal per damunt la cabellera vermella i cada cop més despentinada, i el va subjectar davant seu. Els nens que seien al costat es van aixecar de les cadires i es van allunyar d'ella.

—Zoe... coneixes aquesta rata? —va dir la senyoreta Nanny, amb suspicàcia.

—Doncs... no —va dir la Zoe.

En aquest moment, l'Armitage va pujar pel braç de la nena i va saltar dins la butxaca interior. La Zoe se'l va quedar mirant.

—D'això...

—Acaba de ficar-se a la teva butxaca, la rata?

—No —va dir la Zoe, de forma ridícula.

—Llavors és evident —va dir la senyoreta Nanny— que aquesta bèstia fastigosa és teva.

—L'Armitage no és cap bèstia fastigosa!

—Armitage? —va dir la senyoreta Nanny—. Com és que es diu així?

—És una història molt llarga, senyoreta. Miri, ara ja està dintre la butxaca i no molesta ningú. Continuï explicant la lliçó, sisplau.

La mestra i la resta de la classe van quedar tan atònits davant d'aquella resposta despreocupada, que, per un instant, ningú no va saber què dir ni què fer. El silenci era eixordador, però no va durar gaire estona.

—Ja has sentit el que ha dit el director! —va bramar la senyoreta Nanny—. Expulsió immediata!

—Però, però ho puc explicar...

—FORA! FORA DE LA MEVA CLASSE, NENA DETESTABLE! I EMPOR-TA'T AQUESTA CRIATURA FASTIGOSA!

—va rugir la professora.

Sense mirar ningú, la Zoe va recollir silenciosament els llibres i els bolígrafs i els va ficar a la bossa de plàstic. Va fer enrere la cadira i les potes van xisclar contra el terra enllustrat.

—Perdó —va dir la Zoe a ningú en particular.

Tan silenciosament com va poder, es va encaminar a la porta. Va posar la mà al mànec...

—RECORDA-TE'N: EXPULSIÓ IM-MEDIATA! —va xisclar la senyoreta Nanny—.

NO ET VULL TORNAR A VEURE FINS A FINAL DE SEMESTRE!

—Bé... doncs adéu —va fer la Zoe, sense saber quina altra cosa podia dir.

Va obrir lentament la porta de la classe, i la va tancar silenciosament darrere seu. A través del vi-

dre esmerilat va poder veure les trenta cares peti-
tes i distorsionades que s'havien enganxat contra
la porta per veure-la marxar.

Hi va haver una pausa.

I llavors es va sentir una enorme erupció de ria-
lles, mentre la nena s'allunyava pel passadís.

—SILENCI! —va cridar la senyo-
reta Nanny.

Els alumnes encara eren tots dintre de les aules, i
l'escola estava estranyament tranquil·la. La Zoe no-
més sentia les seves pròpies passes ressonant pel pas-
sadís, i el soroll de la sola de la sabata en picar contra
el terra. Per un instant, el dramatisme de la situació li
va semblar extremament llunyà, com si allò hagués
passat feia molt de temps, en una altra vida i a una
altra persona. Enmig d'aquella escola tan misteriosa-
ment buida, tot plegat semblava un somni.

Però només era la calma d'abans de la tempesta,
i no estava destinada a durar gaire. Va sonar la

Expulsió immediata

campana de la pausa del migdia, i com si es tractés d'una presa que s'allibera, les portes de les aules es van obrir de bat a bat i en va començar a sortir una riada d'escolars. La Zoe va accelerar el pas. Sabia que la notícia de la rata que se li havia enfilat al cap a classe d'Història es propagaria com la pesta. La Zoe havia de sortir de l'escola com més aviat millor...

13

Les hamburgueses d'en Burt

Aviat, la Zoe es adonar que estava corrent, però les seves cames curtes no podien competir amb les dels nens més grans i més alts, que no van trigar gens a avançar-la per poder arribar els primers a la cua de la furgoneta de les hamburgueses i atipar-se de valent.

La Zoe protegia l'Armitage amb la mà. Moltes vegades l'havien fet caure a terra, als passadissos de l'escola. Finalment va aconseguir arribar a la seguretat relativa del pati. Va abaixar el cap, amb l'esperança que no la reconeguessin.

Però només hi havia una manera de sortir del pati fins al carrer principal. Tots els dies, la mateixa furgoneta ronyosa i llardosa aparcava a la porta, amb un rètol on deia «Les hamburgueses d'en Burt». Per bé que el menjar que venien a la furgoneta era horrible, el del menjador de l'escola encara era més vomitiu, i per tant la majoria de nens escollien l'opció menys dolenta i feien cua davant de la furgoneta per comprar el dinar.

En Burt era tan desagradable com les hamburgueses que servia. El suposat xef duia sempre la mateixa samarreta de ratlles llardosa i els mateixos texans amb incrustacions de greix cordats sota la panxa gegant. Per sobre de la roba penjava un davantal sangonós. L'home sempre duia les mans brutes, i els seus cabells de fregall estaven coberts de flocs de caspa que semblaven cereals d'esmorzar. Fins i tot la caspa tenia caspa. Cada cop que s'inclinava sobre la fregidora, els flocs hi anaven a parar a dins, i es produïa un espetec. En Burt ensumava constantment, com si fos un porc enjogassat

en el fang. Ningú li havia vist mai els ulls, perquè sempre duia les mateixes ulleres de sol, completament negres. La dentadura postissa li trontollava cada cop que parlava, cosa que el feia xiular involuntàriament. Per l'escola circulava la llegenda que una vegada li havien caigut les dents damunt d'un panet.

El menú de la furgoneta d'hamburgueses d'en Burt no oferia gaires opcions:

HAMBURGUESA AMB PANET:
79 PENICS
HAMBURGUESA SENSE PANET:
49 PENICS
PANET SOL:
39 PENICS

De moment, encara no li havien donat cap estrella Michelin. El menjar era comestible només si estaves absolutament afamat. Havies de pagar un suplement de cinc cèntims per un rajolí d'un quètxup que no semblava ni tenia gust de quètxup; era marró amb cosetes negres. Si et queixaves, en Burt arronsava les espatlles i murmurava pel nas:

És la meva recepta especial, estimats.

La Zoe va veure horroritzada que la Tina Trotts era allà, la primera de la fila. Si no hagués fet campana, igualment hauria intimidat a tothom i s'hauria colat fins al davant de tot.

Quan la va veure, la Zoe encara va abaixar més el cap, sense aixecar la vista de l'asfalt. Però aparentment no el va abaixar prou, perquè no va poder evitar que la reconeguessin.

—LA NOIA DE LA RATA! —va cridar la Tina. La Zoe va aixecar el cap i va veure la llarga filera de nens que la miraven. Alguns companys de la seva classe havien arribat també a la cua, i van començar a assenyalar-la i a riure.

En un tancar i obrir d'ulls va tenir la sensació que l'escola en ple s'estava burlant d'ella.

–HA, HA, HA, HA, HA, HA, HA, HA, HA, HA, HA, HA, HA, HA, HA, HA, HA, HA, HA, HA, HA, HA, HA, HA, HA, HA, HA, HA, HA, HA, HA, HA, HA, HA, HA, HA, HA, HA, HA, HA, HA, HA, HA, HA, HA, HA!!!!!!!!!!!!!!!!!!!!!!!! !!!!!!!!!!!!!!!!!!

Mai una riallada havia sonat tan freda. La Zoe va mirar un moment cap a dalt. Centenars d'ullets la miraven fixament, però va ser la figura d'en Burt, encorbat damunt del mostrador de la furgoneta, la que li va cridar més l'atenció. Li palpitava el nas, i un fil de saliva llefiscosá li queia per la comissura dels llavis i anava a parar damunt del panet de la Tina...

Ara la Zoe no podia anar a casa.

La seva madrastra seria al pis mirant la televisió, fumant i afartant-se de patates xips amb gust de còctel de gambes. Si la Zoe li explicava per què l'havien expulsat, seria impossible conservar l'Armitage. El més probable era que la Sheila l'exterminés immediatament. Esclafant-lo amb el peuot. La Zoe n'hauria d'arrencar les restes de la sola de la sabatilla de pelfa rosa de la madrastra.

Ràpidament, la Zoe va repassar les opcions que tenia:

1) Fugir amb l'Armitage i atracar bancs, com Bonnie & Clyde, i acabar els seus dies en un esclat de glòria.

2) Fer-se tots dos la cirurgia estètica i anar-se'n a viure a Sud-amèrica, on ningú els coneixia.

3) Dir al seu pare i a la seva madrastra que a l'escola havien engegat el programa «Adopta un rosegador», i que no havien de preocupar-se de res.

4) Afirmar que l'Armitage no era una rata de veritat sinó un giny d'animació electrònica que havien construït a classe de Ciències.

5) Dir que estava ensinistrant la rata per a una missió secreta del Servei d'Intel·ligència.

6) Pintar l'Armitage de blau, posar-li una barretina blanca i fer veure que era un Barrufet de joguina.

7) Fabricar dos globus aerostàtics, un de gran i un de petit, amb els sostenidors gegantins de la seva madrastra, i enlairar-se des del terrat per sortir del país.

8) Segrestar un cotxe per a minusvàlids i fugir cames ajudeu-me.

9) Inventar i construir una màquina de desmaterialització i enviar-se ella mateixa i l'Armitage a un lloc segur.*

10) Anar al quiosc d'en Raj a menjar caramels...

Curiosament, la Zoe va triar la darrera opció.

—Ah, senyoreta Zoe! —va exclamar en Raj quan ella va obrir la porta de la botiga. La campaneta va sonar en el moment que va entrar.

RING.

---

* Aquesta no semblava gaire fàcil d'assolir.

—No hauries de ser a l'escola, senyoreta Zoe? —va preguntar en Raj.

—Sí —va murmurar la Zoe, desanimada. Tenia ganes de posar-se a plorar.

En Raj va sortir ràpidament de darrere el mostrador i va abraçar la nena.

—Què passa, joveneta? —va preguntar, i va prémer el cap de la nena contra la seva panxa grossa i confortable. Feia molt de temps que ningú abraçava la Zoe. Dissortadament, però, els ferros de les dents es van enredar amb el jersei de llana d'en Raj, i per un instant s'hi va quedar enganxada.

—Vaja —va dir en Raj—. Vejam si ho puc desenredar.

Va separar delicadament el jersei dels aparells metàl·lics.

—Ho sento, Raj.

—No passa res, senyoreta Zoe. I ara, digues —va tornar a començar—. Què ha passat?

La Zoe va respirar fondo abans de parlar.

—M'han expulsat.

—No m'ho crec! Sempre et portes rebé.

—És veritat.

—I per què?

La Zoe va pensar que seria més senzill ense-nyar-li la raó. Va ficar la mà a la butxaca interior de l'americana i en va treure la rata.

—Aaaaaaaaaaaaaarrrrrrrrrrrrrrrggggggggggg gggggghhhhhhhhhhhhhh hhhhhhhhhhhh!!! —va cridar en Raj.

Es va allunyar d'un bot i es va enfilar damunt del mostrador. Allà es va quedar una bona estona, cridant.

—Aaaaaaaaaaarrrrrrrrrrrrrrrggggggggggghhhhhhhh hhhhh!!!

»Aaaaaaaaaaaaaarrrrrrgggggggggghhhhhhhh!!!

»No m'agraden gens els ratolins, senyoreta Zoe. Sisplau, sisplau, sisplau, senyoreta Zoe. Sisplau. T'ho suplico. Treu-la d'aquí.

—No et preocupis, Raj, no és un ratolí.

—No?

—No, és una rata.

Aleshores els ulls d'en Raj van sortir de les òr-
bites i va deixar anar un udol eixordador:

—AAAAAAAAAAA
AAAAAAAAAAAAAAAAAAAA
AAAAAAAAAAAA
AAAAAAAAAAAAAAAAAAAAA
RRRRRRRRRRRRRR
RRRRRRRRRRRRRR
RRRRRRRRRRRRRR
RRRRRRRRRRRRRRR-
RRRRRRRRRRRRRRRRRR
RRRRRRRRRRRRRRRRRRR
RRRRRRRRRRRRRRRRR
RRRRRRRRRRRRRRRRRRR
RRRRRRRRRRRRRRRRRRRR
RRRGGGGGGGGGGGGGGGG-
GGGGGGGGGGGGG

Les hamburgueses de rata

GGGGGGGGGGG
GGGGGGGGGGG
GGGGGGGGGGGGGG
GGGGGGGGGGGGGGGGG
GGGGGGGGGGG
G G G G G G G G G G G G G G G
GGGGGGGGGG
G G G G G G G G G G G G G G G
GGGGGGGGGG
G G G G G G G G G G G G G G G
GGGGGGGGGG
GGGGGGGGGGGG!!!!!!!!!!!!!!!!!!!!!!!!!!

GGGGGGGGGGGG!!!!!!!!!!!!!!!!!!!!!!!!!!
!!
!!
!!!!!!!!!!!!!!!!!!!!!!!!!!!!!!!!!!
!!!!!!!!!!!!!!!!!!!!!!!!!!!!!!

14

Un moc al sostre

—No, no, sisplau —va suplicar el quiosquer—.
No m'agrada! No m'agrada!

RING!

Una velleta havia entrat a la botiga, i contemplava divertida el propietari enfilat damunt del mostrador. En Raj s'agafava als camals dels pantalons, amb els pocs cabells que li quedaven totalment de punta, tan espantat que sense adonar-se'n trepitjava els diaris amb els seus peus enormes.

—Ah, hola, senyora Bennett —va dir en Raj amb la veu tremolosa—. La seva revista és al prestatge, ja me la pagarà un altre dia.

—Què carai hi fa, aquí dalt? —va preguntar la velleta, d'una manera prou raonable.

En Raj es va mirar la Zoe. Dissimulant, ella es va posar el dit a la boca, implorant-li que no digués res. No volia que tothom sabés que tenia una rata, perquè la notícia es podia escampar, arribar al bloc sencer i a orelles de la seva horrible madrastra. Però, per desgràcia, en Raj no era gaire bon mentider.

—Bé, doncs...

—He comprat un Peta Zetas —va dir la Zoe, interrompent-lo—. Són aquells caramels que esclaten. Com que sembla que han passat molta estona exposats al sol, s'han tornat molt explosius i quan n'he obert la bossa han ruixat tota la botiga.

—Sí, sí, senyoreta Zoe —va intervenir en Raj—. Un incident molt lamentable, perquè només fa quinze anys que vaig fer pintar la botiga. Ara estava intentant treure les restes de Peta Zetas del sostre.

En Raj va trobar una brutícia especialment enclastada al sostre i la va gratar.

—Hi ha Peta Zetas pertot arreu, senyora Bennett. Ja em pagarà la setmana vinent...

La velleta li va llançar una ullada, poc convençuda, i després va inspeccionar el sostre.

—Això no són restes de Peta Zetas. És un moc.

—No, no, no, senyora Bennett, vostè s'equivoca. Fixi's...

De mala gana, en Raj va fer servir l'ungla per desenganxar el moc que molt temps enrere havia anat a parar al sostre, i se'l va ficar a la boca.

—Pop! —va afegir, sense convicció—. Oh, com m'agraden els Peta Zetas!

La senyora Bennett va mirar l'home de la botiga com si s'hagués tornat totalment boig.

—A mi em sembla més aviat un moc ben gros —va murmurar abans de sortir de la botiga.

RING.

En Raj es va afanyar a escopir el moc ancestral.

—Escolta, aquesta coseta no et farà mal —va dir la Zoe. Se la va treure delicadament de la butxaca. Amb molt de compte, en Raj va baixar del mostrador i es va acostar lentament al seu pitjor malson.

—Només és una cria —va dir la Zoe, animant-lo.

En Raj no va trigar a mirar de fit a fit el rosegador.

—Tens raó, i és especialment bufó. Mira quin nassarró tan bonic —va dir en Raj amb un somriure tendre—. Com es diu?

—Armitage —va respondre la Zoe amb convicció.

—Per què es diu així? —va preguntar en Raj.

A la Zoe li feia vergonya haver posat al seu animal de companyia el nom d'una tassa de vàter, i es va limitar a dir:

—Bé, és una història molt llarga. Acarona'l.

—No!

—No et farà res.

—Si n'estàs segura...

—T'ho prometo.

—Vine aquí, petit Armitage —va xiuxiuejar el quiosquer.

La rata es va acostar una mica per deixar-se acaronar per aquell home tan espantat.

—AAAAAHHHHHHHHHH!
SE M'HA ABALANÇAT AL DA-

MUNT! —va cridar en Raj, i dit això va sortir corrent de la botiga amb els braços enlaire...

RING.

La Zoe el va seguir fins a la porta, i va veure que ja havia arribat a mig carrer, perquè corria tan de pressa que hauria deixat enrere els medallistes d'or dels Jocs Olímpics.

—TORNA! —va cridar la nena.

En Raj es va aturar i va fer mitja volta, va refer de mala gana el camí, passant per davant de les altres botigues, i va arribar a la seva pròpia. Les darreres passes les va fer de puntetes.

—Només et volia saludar —va dir la Zoe.

—Ja ho sé, ja ho sé, ho sento, però s'ha apropat moltíssim.

—No siguis criatura, Raj.

—Ja ho sé, tens raó. En realitat és encantador.

En Raj va respirar fondo i va allargar la mà per acaronar molt lleument l'Armitage.

—Aquí fora fa una mica de fred. Entrem.

RING.

—Què en faré, Raj? La meva madrastra no me'l deixarà tenir mai a casa, i ara, encara menys, perquè per culpa seva m'han expulsat de l'escola. Si aquella dona ja odiava el meu hàmster, mai de la vida em deixarà tenir una rata.

En Raj va reflexionar un moment. Per concentrar-se millor es va ficar una pastilla de menta extraforta a la boca.

—Potser l'hauríem de deixar en llibertat —va dir per fi el quiosquer.

—En llibertat? —va dir la Zoe, i una llàgrima solitària va rajar d'un dels seus ulls.

—Sí. Les rates no estan fetes per ser animals de companyia...

—Però aquesta és tan bufona...

—Potser sí, però no trigarà a créixer. No es pot passar tota la vida dins la butxaca de la teva americana.

—És que me l'estimo molt, Raj, de veritat.

—No en tinc cap dubte, senyoreta Zoe —va dir en Raj, rosegant la pastilla de menta extraforta—. I com que l'estimes tant, l'has de deixar en llibertat.

15

Un camió de deu tones

Així doncs, li havia de dir adéu. En el fons, la Zoe sabia que no podria quedar-se l'Armitage gaire temps. Hi havia una muntanya de raons, entre les quals la de més pes:

ERA UNA RATA.

Els nens no tenen rates com a animals de companyia. Tenen gats i gossos i hàmsters i jerbus i conillets d'Índies i ratolins i conills i tortugues d'aigua i tortugues de terra, els més rics fins i tot tenen ponis, però mai tenen rates. Les rates viuen a les clavegueres, no a les habitacions de les nenes petites.

La Zoe va sortir tristament de la botiga d'en Raj, arrossegant els peus. És cert que el quiosquer era capaç de vendre als clients una xocolatina mossegada, o tornar a posar un bombó de cafè amb llet parcialment llepat al flascó dels dolços, però tots els nens del barri sabien que era el millor quan es tractava de donar un consell.

I això volia dir que s'havia d'acomiadar de l'Armitage.

Així va ser com la Zoe va emprendre el llarg camí cap al bloc d'apartaments, a través del parc. Trobava que aquell era el lloc ideal per deixar el petit Armitage en llibertat. Podria menjar les molles de pa que la gent deixava per als ànecs, podria beure de l'estanyol i fins i tot s'hi podria banyar de tant en tant, i potser fins i tot es faria amic d'algun esquirol, o almenys arribaria un dia que com a mínim se saludarien.

La nena va transportar la rateta a la mà durant l'última part del viatge. Com que era mitja tarda, el parc estava pràcticament buit, a excepció d'algunes velletes que passejaven el gos. L'Armitage li rodejava el polze amb la cua. Era com si s'adonés que estava a punt de passar alguna cosa, i s'aferrava als ditets tan fort com li era possible.

Caminant tan lentament com podia, la Zoe va arribar finalment al bell mig del parc. Es va aturar a una distància prudencial dels gossos que bordaven, dels cignes que xisclaven i del vigilant que lladrava. A poc a poc, es va ajupir i va obrir la mà. L'Armitage no es va moure. Semblava que no es volgués separar de la seva nova amiga. Va refregar el cos contra la mà, i de pas va trencar el cor a la Zoe.

La Zoe va sacsejar una mica la mà, però això només va fer que l'animal s'hi aferrés encara més amb la cua i les potes. Reprimint les llàgrimes, va agafar suaument la rata per la pell del clatell i la va col·locar amb compte damunt de l'herba. Una vegada més, l'Armitage es va quedar immòbil. Va alçar el cap i es va mirar la Zoe amb esperança. La Zoe es va posar de genolls i li va fer un petó al nassarró rosat.

—Adéu, petitó —va xiuxiuejar—. Et trobaré molt a faltar.

Li va caure una llàgrima. La llàgrima va aterrar als bigotis de l'Armitage, i ràpidament l'animal va treure la petita llengua rosada per llepar-la.

La rateta va inclinar el caparró cap a un costat, com si estigués fent un esforç per comprendre la situació, i això va fer que tot plegat encara fos més dur per a la Zoe.

En realitat, acomiadar-se era tan insuportablement trist, que va arribar un moment que ja no va poder més. La Zoe va respirar fondo i es va aixecar, prometent-se a si mateixa que no miraria enrere. La promesa va durar només una dotzena de passes, perquè no va poder evitar mirar per darrer cop el punt on l'havia deixat. Es va endur una bona sorpresa quan va veure que l'Armitage ja havia desaparegut.

«Deu haver corregut com un llamp per buscar recer entre els arbustos», va pensar. Va fitar la gespa per si veia algun senyal de moviment, però l'herba era alta i la rateta era baixeta, i només una brisa lleugera feia ondular les puntes. La Zoe va fer mitja volta i va tornar, de mala gana, a emprendre el camí cap a casa seva.

En sortir del parc va travessar la carretera. En aquell moment no se sentia la remor dels cotxes, tot estava en silenci, i la Zoe va sentir un petit xerric. Es va girar, i al bell mig del carrer va veure l'Armitage.

L'havia estat seguint tot el camí.

—Armitage! —va exclamar la nena, emocionada. No volia ser lliure; volia estar amb ella! La Zoe estava eufòrica. Des que l'havia deixat enrere, havia començat a imaginar tota mena de desgràcies.

Que un cigne pervers es cruspia l'Armitage, o que creuava la carretera i l'atropellava un camió de deu tones.

En aquell instant, es va sentir el brogit d'un vehicle que s'acostava a tota velocitat per la carretera en direcció a l'Armitage, que seguia caminant lentament per trobar-se amb la Zoe.

Era... un camió de deu tones.

La Zoe es va quedar glaçada, contemplant com el camió s'acostava com una bala a l'Armitage. El conductor no seria capaç de veure una cria de rata al mig de la carretera, esclafaria l'Armitage i l'animal quedaria reduït a una taca sobre l'asfalt.

—NOOOOOOOOOOO OOOOOOOOOOOOOOO OO!!! —va cridar la Zoe, però el camió va seguir endavant. No podia fer-hi res.

L'Armitage va mirar en direcció al camió, adonant-se del perill, i es va posar a saltar cap endavant i cap enrere. La rateta estava totalment terroritzada. Però si la Zoe sortia a la calçada, també la xafarien a ella!

Era massa tard.

El camió va passar rugint pel damunt i la Zoe es va tapar els ulls amb les mans.

B B B B B B B B B B B B B B B B
R R R R R R R R R R O O O O O O O O
O O O O O O O O O O O O O O O O O O
O O O O O O O O O O O
O O O O O O O O O O O
O O O O O O O O O O O
O O O O M M M M M M M M
M M M M M M M M
M M M M M M M M
!!!!!!!!!!

Fins que no va sentir que el motor del camió s'esvania en la distància, la Zoe no va gosar tornar a obrir els ulls.

Va cercar la taca sobre l'asfalt.

Però no hi havia cap taca.

El que hi havia era... l'Armitage! Una mica espantat, és veritat, però viu. Les rodes gegantines del camió no el devien haver tocat per ben poc.

Després de mirar a dreta i a esquerra per comprovar que no passaven més cotxes, la Zoe va córrer cap al mig de la calçada i el va recollir.

—No et penso abandonar mai més —va dir la Zoe, subjectant-lo contra el seu pit. L'Armitage va emetre un xerric amorós i gairebé imperceptible.

16

La morera

La naturalesa troba la manera de crear vida a tot arreu. En un carreró pudent que connectava la carretera amb el bloc de pisos de la Zoe, entre bosses de plàstic rebregades i llaunes de cervesa buides, creixia orgullosa una morera. A la Zoe li encantaven les móres, eren com caramels gratuïts. Estava convençuda que a l'Armitage també li agradarien. En va agafar una de gran per a ella, i una de petita per al seu amic pelut.

Amb molt de compte, va col·locar la cria de rata al costat del mur. Observada per l'Armitage, la Zoe es va posar la móra a la boca i va començar a mastegar amb entusiasme i a fer sorollets de satis-facció. Aleshores va agafar la móra més petita en-tre el polze i l'índex i l'hi va mostrar. L'Armitage devia tenir gana, perquè es va alçar sobre les potes posteriors per rebre l'aliment.

La Zoe estava encantada. La rata va agafar la móra entre les urpes anteriors i la va rosegar amb avidesa. En qüestió de segons havia desaparegut. Es va que-dar mirant la Zoe esperant que li'n donés una altra. Ella en va agafar una de la morera i la va sostenir a l'aire, sobre el morro de la rata. Sense dubtar-ho, l'Armitage es va tornar a alçar damunt les potes pos-teriors. La Zoe va dibuixar un cercle amb la móra, i ell la va anar seguint, com si estigués ballant.

—Tens molt de talent, petitó! —va dir la Zoe mentre li donava la móra. Va tornar a menjar-la amb avidesa, i la Zoe li va acaronar el clatell—. Bon noi!

Per dins, bullia d'emoció. Podria ensinistrar l'Armitage. Encara millor, semblava que ell volgués que l'ensinistrés. Havia captat la idea de posar-se dempeus encara més ràpid que en Bunyolet...

La Zoe va agafar totes les móres de la morera que va poder. Com ja havia fet abans amb l'hàmster, es va proposar d'ensenyar alguns trucs a l'Armitage. Aquests en són alguns:

El pas   El salt

El saltiró sobre una cama   L'onada

El ball

Aviat la morera va quedar buida de fruits, i l'Armitage semblava força tip i cansat. La Zoe sabia que era el moment de parar. El va agafar en braços i li va fer un petó al nas.

—Ets increïble, Armitage. Et diré així quan actuem junts a l'escenari. L'increïble Armitage!

La Zoe va baixar pel carreró. El cor li ballava, els peus també.

El pas viu i animat de la Zoe només es va alentir quan van arribar al bloc de pisos. Ara hauria de dir a la seva madrastra que l'havien expulsat, i li caldria trobar una bona excusa.

Aquella situació donaria raons a la madrastra per seguir fent que la vida de la Zoe fos un infern. I, encara pitjor, la carregaria de raons per posar fi a la vida de la pobra rata. Una vida que tot just acabava de començar.

En aproximar-se a la gran torre inclinada, la Zoe va veure una cosa que li va estranyar molt. La furgoneta de les hamburgueses d'en Burt estava aparcada just a la porta de l'imponent bloc d'apartaments. En tots els anys que havia viscut allà, des de la mort de la seva mare, no havia vist mai la furgoneta aparcada en aquell lloc. Només l'havia vist a la porta de l'escola.

«Què dimonis hi fa aquest trasto, aquí?», va pensar.

Des d'aquella distància, l'olor de carn fregida ja regirava l'estómac. Per molta gana que tingués la Zoe, no havia comprat mai una hamburguesa a la furgoneta d'en Burt. Només la fortor ja li feia venir ganes de vomitar. El quètxup que servia també era decididament estrany. En passar per davant de la furgoneta, es va fixar que era molt llardosa. Fins i tot la brutícia brutejava. La Zoe va passar el dit índex al llarg del xassís, i una clapa de brutícia d'un centímetre de gruix li va quedar enganxada a la punta.

«Potser en Burt acaba de traslladar-se al bloc d'apartaments», va pensar. Va desitjar que no fos així, perquè el paio era absolutament esgarrifós. En Burt era la mena d'home que surt als malsons dels teus malsons.

El petit apartament de la Zoe estava dalt de tot, a la trenta-setena planta, però l'ascensor sempre pudia. Havies d'aguantar la respiració tot el trajecte, i no era gens fàcil durant trenta-set pisos. Per això la Zoe sempre pujava per l'escala. Duia l'Armitage confortablement estirat dins la butxaca de l'americana, i notava el pes del cos petit que rebotava contra el seu cor a cada esglaó. La nena respirava cada cop amb més dificultat a mesura que anava pujant l'edifici. A l'escala hi havia tota mena de brossa, burilles de cigarret i ampolles buides. La pudor era intensa, però no tant com a l'ascensor, i a més no era tan claustrofòbic.

Com li passava sempre, la Zoe va arribar a la seva planta sense alè i panteixant com un gos. Es va quedar dreta durant un instant al costat de la porta, i va fer una pausa per agafar aire abans de posar la clau al pany. Segur que el senyor Grave devia haver trucat als seus pares per informar-los de l'expulsió. La Zoe sabia que tot era qüestió de segons; que la fúria infernal de la seva madrastra estava a punt de desencadenar-se.

La Zoe va fer girar silenciosament la clau i va empènyer de mala gana la porta destarotada. Tot i que la seva madrastra gairebé no sortia mai al carrer, el televisor estava apagat i la Zoe no va sentir ningú, de manera que va caminar de puntetes pel passadís en direcció a la seva habitació, amb molt de compte de no trepitjar els taulons que més grinyolaven. Va fer girar el mànec de la porta de l'habitació i hi va entrar.

Al dormitori, de cara a la finestra, hi havia un home.

—Aaaaaaaaaaaaaaaahhhhhhh hhhhhhhhhhhh!!!!!! —va cridar la Zoe, alarmada.

Llavors l'home es va girar.

Era en Burt.

17

Fa olor de rata!

—Aquí fa olor de rata! —va bufar en Burt.

Però no era en Burt. Bé, sí que l'era, però s'havia pintat un bigoti a la cara, amb molt poca gràcia, amb un retolador.

—Què dimonis hi fas tu, aquí? —va dir la Zoe—. I per què t'has pintat bigoti?

—És un bigoti de veritat, estimada —va dir en Burt. Respirava pesadament quan parlava. La veu encaixava perfectament amb la cara: totes dues semblaven tretes d'una pel·lícula de terror.

—No, no ho és. Te l'has dibuixat.

—No ho he fet.

—Sí que ho has fet, Burt.

—Jo no em dic Burt, nena. Sóc el germà bessó d'en Burt.

—Com et dius, doncs?

En Burt es va quedar pensant un moment.

—Burt.

—La teva mare va tenir bessons i us va posar «Burt» a tots dos?

—Érem molt pobres i no ens podíem permetre tenir un nom cadascú.

—Surt de la meva habitació, fastigós!

De sobte, la Zoe va sentir la seva madrastra precipitant-se pel passadís.

—No t'atreveixis a parlar-li així, a aquest home tan simpàtic del control de plagues! —va xisclar, entrant en tromba a l'habitació.

—No és ningú del control de plagues. Es dedica a vendre hamburgueses! —va protestar la Zoe.

En Burt s'estava dret entre elles dues amb un somriure satisfet als llavis. Era impossible veure-li l'expressió dels ulls perquè les ulleres de sol eren més negres que el petroli més fosc i profund.

—Què t'empatolles, noia estúpida? És caçador de rates —va cridar la madrastra—. Oi que sí?

En Burt va assentir en silenci i va somriure, ensenyant la dentadura falsa i desencaixada.

La nena va agafar la madrastra per l'avantbraç tatuat, i la va portar fins a la finestra.

—Mira la furgoneta! —va declarar—. Llegeix el rètol lateral!

La Sheila va mirar per la finestra llardosa, en direcció als vehicles que hi havia aparcats a baix de tot.

—«Burt. Control de plagues» —va llegir.

—Què? —va fer la Zoe.

Va netejar les taques de la finestra i va mirar a l'exterior. La dona tenia raó. Sí que hi posava això. Com era possible? Semblava la mateixa furgoneta. La Zoe es va mirar en Burt. El somriure satisfet s'havia eixamplat. Mentre ella mirava, ell es va treure una bosseta marró de la butxaca i en va treure alguna cosa. La Zoe hauria jurat que el que s'havia ficat a la boca s'estava movent. Podia ser una cuca? Era aquesta, la idea que aquell depravat tenia d'un aperitiu?

—Ho veus? —va dir en Burt—. Sóc caçador de rates.

—El que tu diguis —va dir la Zoe. Es va girar cap a la seva madrastra—. I encara que ho fos, que no ho és, perquè és venedor d'hamburgueses, què hi fa, a la meva habitació? —va exigir.

—És aquí perquè ha sentit dir a l'escola que tu hi has introduït una rata —va respondre.

—Això és mentida! —va mentir la Zoe.

—Aleshores per què m'ha trucat el director, avui? Eh? EH? RESPON-ME! M'ho ha explicat tot. Ets una nena *fastigossa*.

—No vull problemes de cap mena, estimada —va dir en Burt—. Dóna'm la criatura i en paus.

Va allargar una mà rodanxona i nuosa. A terra, al costat dels peus, en Burt hi tenia una gàbia vella i bruta que semblava feta amb la graella metàl·lica d'una fregidora d'oli. Però en comptes de fer-la servir per fregir patates, hi tenia amuntegades centenars i centenars de rates.

A primer cop d'ull, la Zoe va pensar que les rates eren mortes, perquè no es movien. Amb una inspecció més atenta, es va adonar que eren vives, però gairebé no es podien bellugar. Semblava que ni tan sols podien respirar, de tan aixafades que estaven. Era una visió vomitiva, i a la Zoe li van entrar ganes de plorar en veure tanta crueltat.

Just en aquell moment, la Zoe va sentir que l'Armitage es bellugava a la butxaca interior. Potser havia ensumat el perill. La nena es va posar la mà al pit discretament per amagar els moviments de l'animal. El cervell buscava acceleradament possibles mentides, fins que per fi en va trobar una.

—L'he deixat en llibertat —va dir—. El director té raó, sí que he entrat una rata a l'escola, però després l'he deixada lliure al parc. Pregunteu-ho a en Raj, ha estat ell qui m'ha dit que ho fes. Si la vols trobar, serà millor que vagis al parc a buscar-la —va afegir, i en acabat va subjectar l'Armitage a través de la butxaca perquè el petit rosegador es bellugava com un boig.

Va haver-hi una pausa mortal. Aleshores, en Burt va etzibar:

—Estàs mentint, bonica.

—No és veritat! —va dir la Zoe, una mica massa de pressa.

—No menteixis a aquest home tan simpàtic —va udolar la Sheila—. No podem tenir un altre animaló carregat de malalties corrent pel pis.

—No dic mentides —va protestar la Zoe.

—Fa olor de rata —va dir aquell home tan roí, arrufant el nas—. Sóc capaç de sentir l'olor de rata a quilòmetres de distància.

En Burt va ensumar l'aire, i després va emetre un so sibilant.

—Les cries fan una olor especialment dolça...

Es va llepar els llavis, i la Zoe va tremolar.

—Aquí no hi ha cap rata —va dir la Zoe.

—Dóna-me-la —va dir en Burt—. Així li clavaré una trompada ràpida amb el meu estabornidor especial d'alta tecnologia—. Es va treure una maça sangonosa de la butxaca posterior dels pantalons—. En realitat és un mètode indolor, no senten res. I després la ficaré aquí dintre perquè jugui amb les seves amiguetes.

Per indicar que estava parlant de la gàbia, hi va donar un cop amb el taló de la bota plena de brutícia.

La Zoe estava horroritzada, però va agafar forces i va parlar.

—Em temo que t'equivoques. Aquí no hi ha cap rata. Si tornés, no pateixis que et trucaríem immediatament. Gràcies.

—Passa-me-la. Ara mateix —va esbufegar aquell home sinistre.

Mentrestant, la Sheila havia estat estudiant la fillastra que tant odiava, i es adonar de l'estranya posició de la mà esquerra.

—Criatura malvada! —va acusar la dona, tot enretirant d'una estrebada la mà de la seva fillastra—. La tens dins de la *txaqueta*!

—Vostè subjecti-la, senyora —va ordenar en Burt—. Colpejaré la rata a través de la roba. Així caurà menys sang a la moqueta.

—Noooooooooooooooooo! —va cridar la Zoe. Va intentar alliberar el braç de les urpes de la madrastra, però la dona era molt més corpulenta i forta que la nena. La Zoe va perdre l'equilibri i va caure a terra. L'Armitage va sortir de la butxaca i va començar a córrer per la catifa.

—Aaaaaaaaaaaaaaaaaaaaaa aaaaaaaaaaaaaaaaaaaaaaaaaaa

hhhhhhhhhhhhhhhhhhhhh hhhhhhhhhhhhhhhhhhhh hhh!!!!!!!!!!!!!!!!!!! —va udolar la madrastra—. Traieu-la d'aquí!

—Ja veureu que no sentirà res —va esbufegar en Burt, i es va posar de quatre grapes, brandint la maça ensangonada. Amb el nas arronsat, encalçava la rata per l'habitació, picava el terra i si no colpejava l'Armitage era per qüestió de mil·límetres.

—Alto! —va cridar la Zoe—. Que el mataràs!

Va intentar llançar-se damunt de l'home, però els braços de la madrastra l'hi impedien.

—Vine aquí, bonica! —xiuxiuejava en Burt, que abatia repetidament la maça contra la catifa plena de pols, i feia que les espurnes de brutícia incrustada explotessin a l'aire amb cada fuetada.

L'Armitage saltava d'aquí cap allà, intentant esquivar els cops desesperadament. La maça va tornar a colpejar i va enxampar-li la cua.

—Iiiiiiiiiiiiiiiiiiicccccccccc ccccccccccccccccccccccccccc ccccccccc! —va xisclar de dolor la rata, i

va córrer a amagar-se sota el llit de la Zoe. Això no va arronsar en Burt, que, sense treure's les ulleres fosques, es va posar de panxa a terra i va lliscar sota el llit com una serp, bastonejant amb la maça a dreta i esquerra.

La Zoe es va escapolir dels braços de la seva madrastra i es va llançar sobre l'esquena d'en Burt tan aviat com aquest va aparèixer de sota el llit. La nena no havia colpejat mai ningú, i ara estava eixarrancada a l'esquena d'en Burt com un cowboy damunt d'un toro en un rodeo, fuetejant-li l'esquena amb totes les seves forces.

La madrastra només va trigar uns segons a engrapar-la pels cabells i subjectar-la contra la paret, cosa que va permetre que en Burt tornés a desaparèixer sota el llit.

—No, Zoe! Ets una salvatge. Em sents? Una salvatge! —va cridar la dona. La Zoe no havia vist mai la seva madrastra tan enrabiada. Era una ira incontrolable.

De sota el llit, la Zoe sentia els cops sords de la maça cada vegada que impactaven contra la moqueta. Les llàgrimes queien pel rostre de la nena com un torrent. No se sabia avenir que el seu petit amic hagués de trobar un final tan violent com aquell.

PLAS!

I llavors es va fer el silenci. En Burt va sortir serpentejant de sota el llit. Esgotat, va seure a terra. En una mà sostenia la maça ensangonada. Entre els dits de l'altra mà subjectava l'Armitage, que romania immòbil i amb la cua penjant.

—T'HE ENXAMPAT! —va anunciar en Burt, victoriós.

18

«Polvorització»

—Vol una patata *txip* amb gust de còctel de gambes? —va oferir la Sheila a l'home.

—Mmm, no diré que no —va respondre en Burt.

—Només una.

—Ho sento.

—D'això... Què en fa, de totes aquestes rates? —va continuar la Sheila, amb la veu més refinada possible, mentre acompanyava en Burt fins a la porta. La Zoe plorava asseguda al llit. La madrastra estava tan enrabiada pel comportament de la Zoe que l'havia tancat a la seva habitació. Per molt que sacsegés el mànec i colpegés la porta, no hi havia res a fer. La nena estava totalment destrossada. Només li quedava plorar. Va sentir que la seva madrastra acompanyava aquell home repulsiu fins a la porta.

—Bé, als infants els dic... —va respondre en Burt en un to pretesament reconfortant però molt inquietant— ...que me les enduc a un hotel especial per a rates.

La Sheila va riure.

—I se'l creuen?

—Sí, els molt beneits es pensen que les porto a un lloc on es passaran el dia prenent el sol, relaxant-se en aigües termals, fent-se massatges i tractaments facials!

—Però en realitat...? —va xiuxiuejar la Sheila.

—Les polvoritzo! Amb la meva màquina polvoritzadora especial!

La Sheila va deixar anar una rialla dantesca.

—I és dolorós?

—Molt!

—Ha, ha! Molt bé. I les trepitja abans?

—No.

—Vaja. Jo les trepitjaria i després les polvoritzaria. Així patirien el doble!

—Ostres, ho hauré de provar, senyora...?

—Oh, em pot dir Sheila. Una altra patata amb gust de còctel de gambes?

—Sí, per favor.

—Només una.

—Ho sento. Quin gust tan deliciós —va murmurar en Burt.

—És exactament el mateix que un còctel de gambes de veritat. No sé com ho aconsegueixen.

—Ha menjat mai un còctel de gambes de veritat?

—No —va respondre la dona—. Però no fa falta. Té el mateix gust que les patates.

—Té tota la raó. Senyora, si em permet l'atreviment, vostè és una dona extremadament bella. M'encantaria portar-la a sopar aquesta nit.

—Trapella! —va flirtejar la madrastra de la Zoe.

—Així tastaria una de les meves hamburgueses especials.

—Oh, sí, sisplau!

La dona horrible va afegir una rialleta infantil i vomitiva al final de la frase. La Zoe no se'n sabia avenir, que la madrastra estigués flirtejant tan descaradament amb aquell individu detestable.

—Només vostè, jo, i totes les hamburgueses que ens càpiguen al pap —va mussitar en Burt.

—Què romàntic —va xiuxiuejar la Sheila.

—Fins després, princesa meva...

La Zoe va sentir que es tancava la porta, i les passes de la madrastra van retronar pel passadís acostant-se a la seva habitació.

—T'has ficat en un bon embolic, joveneta! —va dir la Sheila. Li devia haver fet un petó a en Burt, perquè ara duia una marca de retolador negre damunt del llavi superior.

—No m'importa! —va dir la Zoe—. L'únic que m'importa és l'Armitage. L'he de salvar.

—Qui és l'Armitage?

—La rata.

—Com pots *possar*-li aquest nom a una rata? —va preguntar la dona amb incredulitat.

—És una història molt llarga.

—Doncs és un nom completament estúpid per a una rata.

—Com li posaries, tu?

La Sheila es va quedar molta estona pensant.

—I bé? —va preguntar la Zoe.

—Estic pensant.

Després d'un llarg silenci en què semblava que la Sheila es concentrava molt, finalment va dir:

—Ratot!

—No és massa original —va murmurar la Zoe.

Això va enfurismar encara més la madrastra.

—Ets malvada. Ho saps molt bé, joveneta. Malvada! M'entren ganes de fer-te fora de *cassa*! Com has pogut atacar aquell home tan encantador?

—Encantador?! Aquest home és un assassí de rates!

—No, no, no. Van totes a un santuari especial per a rates i reben tota mena de banys d'aigües...

—Et penses que sóc idiota del tot? Les mata.

—Però en canvi no les trepitja. Només les polvoritza. En realitat és una llàstima.

—Això és monstruós!

—Quina importància té? Una rata menys.

—No. He de salvar el petit Armitage. He de...

La Zoe es va aixecar i va anar cap a la porta. La seva madrastra la va tornar a enclastar contra el llit amb tota la força del seu pes.

—No aniràs *anlloc* —va dir la dona—. Estàs *atropada*. Em sents? *A-T-R-O-P-A-D-A*! *Atropada*.

—«Atrapada» va amb A —va dir la Zoe.

—No és veritat! —Ara la Sheila estava empipadíssima—. No sortiràs de la teva habitació fins que jo ho digui. Et quedaràs aquí i pensaràs en el que has fet. Fins que et podreixis!

—Espera que vingui el meu pare!

—I què creus que farà, aquell desgraciat?

A la Zoe li coïen els ulls. El pare estava passant per un mal moment, però seguia sent el seu pare.

—No t'atreveixis a parlar així d'ell!

—Només l'aguanto pels diners del subsidi i per tenir una teulada sobre el cap.

—Li diré que has dit això.

—Ja ho sap. L'hi dic totes les nits —va roncar la dona repulsiva, amb una rialla gutural.

—Ell m'estima. No permetrà que em tractis així! —va protestar la Zoe.

—Si t'estima tant, per què es passa tot el sant dia emborratxant-se?

La Zoe va callar. No tenia cap resposta per a això. Aquelles paraules li havien trencat el cor en milions de trossos.

—Ha! —va dir la dona. I llavors va tancar la porta violentament i la va tancar amb clau.

La Zoe va córrer fins a la finestra i va mirar cap a baix, al carrer. La vista era força bona, un dels avantatges de viure a la planta trenta-set d'aquella torre en ruïnes. En la distància, va veure la furgoneta d'en Burt allunyant-se a tota velocitat. No conduïa gaire bé: la Zoe va contemplar com arrencava un parell de retrovisors dels cotxes aparcats i gairebé atropellava una velleta, fins que va desaparèixer del camp de visió.

Fora, el cel s'estava enfosquint, però els milers de fanals de la ciutat il·luminaven el món exterior. Banyaven l'habitació de la Zoe amb una resplendor lletja i ataronjada impossible d'apagar.

Tard, a la nit, el pare de la Zoe va tornar per fi del pub. Com sempre, la Zoe va sentir la discussió amb la Sheila i els cops de porta. El pare mai anava a veure la Zoe a la seva habitació, gairebé sempre es quedava fregit al sofà abans de poder-ho fer.

La nit va arribar i se'n va anar sense que la Zoe pogués dormir. Li rodava el cap i li feia mal el cor. Al matí va sentir que el seu pare sortia de casa, segurament per esperar que obrissin el pub, i la madrastra que engegava el televisor. La Zoe va picar a la porta moltes vegades, però la madrastra no la va anar a obrir.

«Estic presonera», va pensar la Zoe. Es va estirar al llit, assedegada, afamada i amb moltes ganes de fer pipí.

«Bé, doncs. Què fan els presoners?», es va preguntar. «Intenten fugir...!»

19

La gran fugida

L'Armitage es trobava en una situació terriblement perillosa. La Zoe l'havia de salvar. I sense perdre ni un segon.

Va recordar que en Burt aparcava tots els dies la furgoneta de les hamburgueses davant de l'escola, de manera que si aconseguia sortir de l'habitació podria seguir-lo fins allà. Aleshores podria descobrir on tenia empresonades les rates abans de «polvoritzar-les».

La Zoe va rumiar totes les maneres diferents per poder fugir:

1. Podia lligar tots els llençols i fugir tot fent ràpel. Però com que vivia a la trenta-setena planta, no estava segura que els llençols la portessin molt més enllà de la planta vint-i-quatre. Possibilitats de mort: altes.

2. Sempre hi havia l'opció de l'home ocell. Fabricar alguna mena de planador amb penja-robes i calces i sortir volant cap a la llibertat. Probabilitats de mort: altes; i encara més important, la Zoe no tenia prou calces netes.

3. Excavar. Els túnels havien estat el mètode de fugida favorit dels soldats dels campaments de guerra. Probabilitats de mort: baixes.

El problema del número tres era que dessota de l'habitació de la Zoe hi havia el pis d'una anciana que tenia uns gossos que no paraven de bordar, però que sempre es queixava del soroll dels del pis de dalt. Segur que lliuraria la Zoe a la seva madrastra sense pensar-ho dues vegades. «També podria mirar de tunelar de costat!», va pensar la Zoe.

Va despenjar un pòster de l'última *boy-band* de moda, i va donar uns copets suaus a la paret amb les ungles. Els copets van ressonar al pis del costat, cosa que devia significar que la paret era prima. Al llarg dels anys havia sentit molts crits que venien del pis del costat, però massa esmorteïts per poder deduir quina mena de gent hi vivia. La Zoe pensava que era una nena i els seus pares, però potser també hi havia altra gent. Fossin qui fossin, les seves vides semblaven tant o més desgraciades que la de la Zoe, i de vegades més i tot.

El pla era senzill. Podia tornar a posar el pòster al seu lloc en qualsevol moment per amagar el que estava fent. Ara només necessitava alguna cosa per excavar el túnel a través de la paret. Alguna cosa metàl·lica i afilada. «Una clau», va pensar, i va córrer excitada cap a la porta, però aleshores va recordar que la clau era a l'altra banda. Justament per això no podia fugir!

«Caram!», es va dir.

La Zoe va remenar les seves pertinences, però el regle, la pinta, el bolígraf i els penjadors de roba eren tots de plàstic. Un objecte de plàstic es trencaria instantàniament si intentava fer-lo servir per buidar una paret.

Es va observar per casualitat al mirall i es va adonar que la resposta l'estava mirant des de la seva pròpia cara. Els ferros de les dents. Per fi aquell aparell del dimoni serviria per a alguna cosa.* La Zoe se'ls va arrencar amb els dits i va córrer cap a la paret. Sense fer ni tan sols una pausa per netejar-los de saliva, va començar a gratar. No era es-

---

* A part de redreçar les dents, és clar. (Em veig obligat a escriure això per provocar les queixes dels dentistes que llegeixin el llibre, per bé que tots són uns torturadors assedegats de sang.)

trany que els ferros fossin tan dolorosos, que li ferissin les genives i que s'enganxessin al jersei d'en Raj: el metall era molt afilat! Ràpidament, trossos de guix de la paret van començar a caure a terra. De seguida, la Zoe va haver gratat el guix fins a arribar als maons que hi havia darrere, i els ferros es van anar omplint de pintura, guix i pols de la paret.

De sobte, la Zoe va sentir la clau de la porta que girava, va fer un salt i va tornar a col·locar el pòster a la paret. Just a temps, va recordar tornar a ficar-se els ferros a la boca, per bé que no va tenir temps de netejar-los abans.

La Sheila es va mirar la seva fillastra amb suspicàcia. Semblava que sabés que la Zoe tramava alguna cosa, però no sabia quina. De moment.

—Vols *papejar* alguna *cossa*? Suposo que serà millor que t'alimenti —va dir la dona cruel—. Si et mors de gana, els assistents socials em vindran al darrere com la sarna.

Els ulls petits i envidriats de la Sheila van inspeccionar l'habitació. Hi havia alguna cosa diferent. Però no era capaç d'endevinar quina era.

La Zoe va sacsejar el cap. No gosava parlar, amb la boca empolsinada. Certament estava morta de fam, però havia de tirar endavant el pla de la fugida i no volia més interrupcions.

—Vols anar a la cagadora? —va dir la donota.

La Zoe es va adonar que la seva madrastra escorcollava l'habitació amb la mirada. La nena va tornar a negar amb el cap. Va pensar que s'ofegaria, perquè la pols començava a baixar-li per la gola. En realitat estava a punt de rebentar i tota l'estona havia de creuar les cames, però si anava al lavabo i la madrastra regirava l'habitació potser trobaria el començament del túnel.

—Portes els ferros posats?

La Zoe va assentir vigorosament, i després va intentar somriure amb la boca tancada.

—Ensenya-m'ho —va insistir la madrastra.

La Zoe va obrir lentament la boca, només una mica, per ensenyar un pèl el metall.

—No veig res. Obre-la més!

De mala gana, la nena va obrir la boca, i va mostrar els ferros recoberts de pols.

La dona es va ajupir per veure millor.

—T'has de raspallar les dents, estan fastigoses. Ets una criatura molt desagradable. No t'ho havien dit mai?

La Zoe va tancar la boca i va donar un gest afirmatiu amb el cap. La Sheila va fer una última ullada a la seva fillastra i va remenar el cap, fastiguejada, abans de fer mitja volta i marxar.

La Zoe va somriure. Se n'havia sortit. Uf!

Va esperar a sentir com girava la clau, i llavors es va tombar cap a la paret. El pòster de la *boy-band* estava capgirat! Va pregar perquè el dels cabells pentinats de darrere cap endavant no sabés mai que havia posat el pòster a l'inrevés. Era el favorit de la Zoe i algun dia es casarien. Però ell encara no ho sabia.

Hi havia un detall més important: gràcies a Déu que la seva madrastra no s'havia adonat que el pòster ja no estava penjat del dret. La Zoe va escopir els ferros i es va eixugar a la màniga la llengua seca com un desert per intentar treure's la pols, i després va tornar a la feina.

Durant tota la nit va gratar i gratar a través de la paret fins que finalment va arribar a l'altre costat.

Ara l'aparell d'ortodòncia s'havia convertit en una ferralla deforme, i el va deixar de banda. Estava tan contenta d'haver-ho gairebé aconseguit, que va decidir continuar amb les dents. Gratant sense parar per engrandir el forat, anava arrencant els trossos de guix tan ràpid com podia.

La Zoe es va eixugar els ulls i va mirar pel forat. No tenia ni idea de què hi trobaria, a l'altra banda. Va fixar la mirada i es va adonar que podia veure una cara.

Una cara coneguda.

Era la Tina Trotts.

20

Estira-i-arronsa

És clar que la Zoe sabia des de sempre que la busca-raons vivia al mateix bloc que ella. La seva banda ocupava permanentment la zona dels gronxadors. És més, cada dia la Tina escopia al cap de la Zoe des de l'ull de l'escala, però la Zoe no tenia ni idea que aquella noia horrible visqués tan a prop!

Aleshores la Zoe va pensar una cosa que la va inquietar: això volia dir que era la família de la Tina la que s'escridassava i feia petar les portes encara més que la seva. La Tina era la noia que rebia les esbroncades del seu pare. La Tina era la persona de qui ella sentia llàstima quan intentava ador-mir-se a les nits.

La Zoe va sacsejar el cap, mirant de desfer-se d'aquella sensació nova de sentir llàstima per la Tina Trotts. No li va costar gaire recordar una altra sensació —les escopinades a la cara— i la llàstima va desaparèixer.

Era mig matí. La Zoe s'havia passat la nit excavant la paret. A l'altra banda del forat hi havia el cap lleig i gros de la Tina, que roncava. Estava estirada en un llit que, com si fos la imatge d'un mirall, estava situat exactament en el mateix lloc de l'habitació on la Zoe tenia el seu. Però en canvi aquella habitació estava completament buida. Semblava més la cel·la d'una presó que el dormitori d'una noia.

La Tina estava embolicada en un cobrellit brut. Per ser una noia tan jove, roncava com un camell, amb uns roncs forts i greus, i els llavis li feien tentines en exhalar l'aire.

Si algun cop us heu preguntat com sona el ronc d'un camell, fa més o menys així:

ZZZZZZZZZZZZZ
zzzzZZZZzzzZzzzzZzzzzzzzzzz!
HHHHHHHMMM
MMMMMMMMMMPPP
PPPPPPPPPPPPP
HHHHHHHHHHHHH
HHHHHHHHHHHHH
HHHHHHHHHHHHH
HHHHHHHHHHHHH
HHHHHHHHHHHHH
HHHHHHHHHHHHH
HHHHHHHHHHHHHH
HHHHHHHHHHHHH
ZZZZZzzzzzzzzzzzzzzz!

Era dia lectiu i la Tina hauria d'haver estat a classe, però la Zoe sabia que la majoria dels dies feia campana, i quan no en feia, hi anava quan li donava la gana.

Ara la Zoe estava cara a cara amb la seva pitjor enemiga. Però ja no es podia fer enrere. L'habitació de la Zoe estava coberta d'una pols espessa com a resultat de les seves excavacions. Quan la seva madrastra obrís la porta per comprovar com estava, el joc s'hauria acabat, i mai més tornaria a veure l'Armitage...

Ara mateix, però, el rostre tremebund de la Tina era a l'altra banda del forat. La Zoe es va fixar en els pèls sorprenentment gruixuts que la noia tenia als narius, i es va plantejar què podia fer a continuació.

De sobte se li va acudir un pla. Si aconseguia agafar una punta del cobrellit de la Tina, podria estirar-lo amb força des de l'altra banda del forat. Aleshores, quan la Tina caigués rodolant a terra, la

Zoe s'enfilaria pel forat, saltaria per damunt del cos de la Tina, i sortiria com un llamp del pis i estaria salvada.

Tot seguit va pensar que hauria de revisar les probabilitats de mort de l'opció excavació i canviar-les per «altes».

En aquell moment, va sentir les passes de la seva madrastra ressonant pel passadís.

La Zoe havia de passar a l'acció, i ho havia de fer de pressa. Va allargar la mà pel forat, va respirar fondo, i va estirar tan fort com va poder el cobrellit, que tenia un tacte força greixós. Semblava que no l'haguessin rentat mai. L'estrebada va ser tan forta que va fer caure la Tina a terra.

BUM!
BAM!
REBUM!

Just quan la Zoe va sentir que giraven la clau a la porta de la seva habitació, ella va pujar de quatre grapes pel forat i va fer el gest de saltar. A diferència d'una rata, però, la Zoe no tenia bigotis, i per bé que era una nena extremadament petita per l'edat que tenia, havia subestimat una mica la seva corpulència. Quan el cos estava a mig camí del forat, s'hi va quedar absolutament encallada. Per molt que es retorçava, no aconseguia avançar ni un centímetre. Per descomptat, ara la Tina s'havia despertat, i hauria estat quedar-se curt dir que no semblava de gaire bon humor. Estava més emprenyada que un tauró blanc que algú acabés d'insultar.

La busca-raons es va posar dempeus lentament, va mirar la Zoe i va començar a estirar violentament els braços de la nena, sens dubte per fer-la entrar tota sencera a l'habitació i poder-la apallissar amb més tranquil·litat.

—No saps la que t'espera, pigmea —va grunyir.

—Ah, bon dia, Tina —va dir la Zoe, amb un to que implorava una resposta no violenta a aquella situació tan poc usual. Mentrestant, la Sheila, que sens dubte havia sentit l'estrèpit, havia travessat ràpidament l'habitació i havia agafat per darrere les cames de la seva fillastra. La dona odiosa les estirava amb tota la força que podia.

—Vine aquí! Ja veuràs quan et posi les mans al damunt! —va cridar la donota.

—Bon dia, madrastra —va cridar la Zoe per damunt l'espatlla. Novament, el to alegre no va servir per pacificar la dona que l'aferrava pels turmells.

La Zoe estava rebent per totes bandes, ara cap endavant, ara cap enrere.

—Uuuuui! —gemegava quan l'estiraven cap endavant.

—Aaaaaaaaaaai! —feia quan l'estiraven cap enrere.

Aviat va semblar que estigués cantant una cançó pop massa repetitiva:

—Oooh! Aaah! Oooh! Aaah!
Oooh! Aaaah! Oooh! Aaah!
Oooh! Aaaah! Oooh! Aaah!
Oooh! Aaaah! Oooh! Aaah!
Oooh! Aaaah! Oooh! Aaah!
Oooh! Aaaah! Oooh! Aaah!
Oooh! Aaaah! Oooh! Aaah!

Enrere. Endavant. Enrere. Endavant.

Al cap d'una estona, la paret va començar a ensorrar-se al seu voltant.

La Tina era forta, però la madrastra de la Zoe tenia l'avantatge del pes. Era un estira-i-arronsa sorprenentment igualat, i el resultat era que semblava que no s'hagués d'acabar mai. Totes dues estiraven amb tanta força els membres de la Zoe que mentre cridava prenia consciència d'un aspecte positiu d'aquella situació: guanyés qui guanyés, el que

era segur era que quan acabessin la Zoe seria més alta.

Se sentia com un regal de Nadal especialment disputat. Però, per descomptat, el regal havia d'ex-

plotar d'un moment a l'altre. Ara els trossos de
guix que queien de la paret eren cada vegada més
grossos, i anaven a parar damunt del seu cap.

_AAAAAAAAAAA
AAAAAAAAAAAA
AAAAAAAAAAAA
AAAAAAAAAAAA
AAAAAAAAA
UUUUUUUU
UUUUUUUUU
UUUUUUUUU
UUUUUUU!!!

—cridava la Zoe.

Es va obrir una esquerda enorme a la paret.

CCCCCCCCC
CCCCCCCCCC

RRRRRRRRRR
AAAAAAAAAA
CCCCCCCCC
CCCCCCCCC!

De sobte la Zoe va notar que la paret sencera cedia. Es va ensorrar tota enmig d'una tempesta de pols.

BBBBBBBBB
BBBBBBBBBB

OOOOOOO

OOOOOOO

UUUUUUU

MMMMMMM

MMMMMMM

MMMMMM!!!!!

OOOOOOO

OOOOOOO

UUUUUUU

MMMMMMM

MMMMMMM

!!

!!

El soroll era eixordador, i la Zoe ho veia tot blanc. L'aspecte era més o menys aquest:

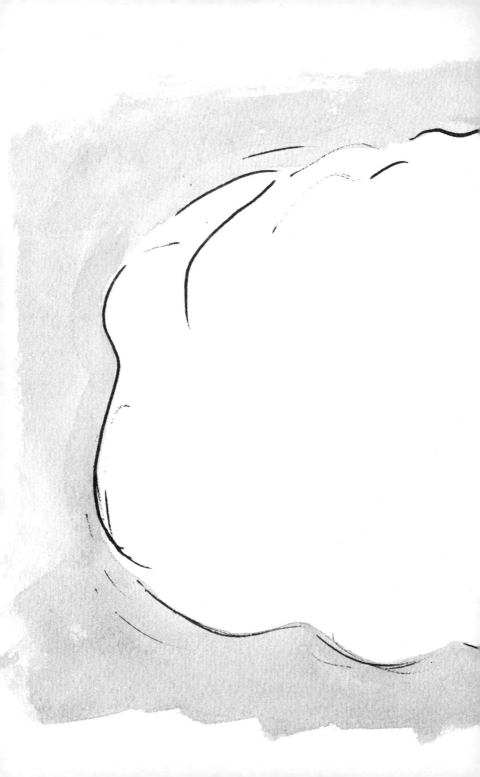

21

Cul encetat

Era com si hi hagués hagut un terratrèmol, però almenys ara els braços i les cames de la Zoe havien quedat lliures.

En algun lloc entremig del núvol de pols que cobria la seva habitació, ara compartida, va sentir que la Tina i la seva madrastra estossegaven. La Zoe sabia que aquell era el moment d'escapar-se, i es va llançar endavant. Sense veure res, va fer ballar desesperadament les mans per trobar un mànec. La Zoe va obrir la porta i es va llançar al passadís.

Completament desorientada per l'explosió de pols, va ser llavors que es va adonar que estava corrent pel pis de la Tina. Era un cau encara més sinistre que el de la Zoe. No hi havia mobles ni catifes. El paper de la paret queia a trossos i l'olor d'humitat ho impregnava tot. Era com si visquessin com okupes en el seu propi pis.

Però aquell no era el moment per fer un canvi d'imatge, ni tan sols d'aquests que es fan en només quinze minuts, com a la televisió, i la Zoe no va trigar a trobar la porta principal. Amb el cor bategant més ràpid que mai, va intentar obrir-la desesperadament. Li tremolaven les mans, i va ser incapaç de moure la balda.

Aleshores, darrere d'olla, van aparèixer enmig del núvol de pols dues figures monstruoses i fantasmagòriques, enormes i amenaçadores, totalment blanques, amb les boques obertes i els ulls sobresortits i vermells de fúria, que xisclaven de valent. Semblava una pel·lícula de terror.

A A A A A A A
RRRRRRR!!! —va cridar la Zoe.

Aleshores es va adonar que eren la Tina i la madrastra, cobertes de pols blanca de cap a peus.

—AAAAAAA RRRRRGGGHHH!!!
—va cridar la Zoe.

—VINE AQUÍ! —va cridar la Sheila.

—NO T'ESCAPARÀS! —va cridar
la Zoe.

Les mans de la Zoe van tremolar encara més, però va aconseguir obrir la porta a l'últim segon. En el moment que s'escapolia, quatre mans rodanxones i arrebossades de pols blanca la van engrapar per la roba, i li van estripar l'americana. La Zoe va aconseguir desfer-se'n i va tancar la porta d'un cop darrere seu. Corrent pel passadís de la planta comunitària, la Zoe es va adonar que les dues sortides per accedir fora de la gran torre inclinada, les escales i l'ascensor, serien un atzucac gairebé segur.

Llavors va recordar que hi havia una bastida a l'extrem més llunyà dels pisos.

Pensant que potser per allà hi hauria alguna manera de baixar, s'hi va dirigir a tota velocitat. Va obrir una finestra, va saltar a la bastida i va tancar la finestra darrere seu. Un vent pervers sacsejava els taulons prims que tenia sota els peus. Va mirar cap avall. Trenta-set pisos! Fins i tot els autobusos del carrer semblaven petits, com si fossin de joguina. Li va començar a rodar el cap. Començava a pensar que no havia estat una bona idea.

Però darrere seu, la Tina i la Sheila premien els rostres enfurismats contra el vidre i copejaven la finestra.

Sense pensar-ho, la Zoe va caminar al llarg de la part exterior de l'edifici, mentre la madrastra i la Tina es barallaven per ser les primeres a sortir a la bastida i continuar la persecució. Al final del passadís de fusta hi havia un gran tub de plàstic que baixava els trenta-set pisos fins a arribar a un contenidor. La Zoe havia pensat que semblava un tobogan aquàtic, per bé que en realitat estava pensat per fer baixar sense perill els fragments de runa sobrants de les feines de reparació de l'edifici.

Tot just hi cabia una nena petita.

En fer mitja volta, la Zoe va veure la Tina i la madrastra, unes quantes passes darrere seu. Va respirar fondo i es va llançar pel tub. Es va veure envoltada d'un plàstic vermell, i va lliscar més de pressa del que podria haver imaginat, cridant mentre anava avançant. Avall, avall, avall. Que no s'acabava mai? Va seguir baixant i giravoltant, accelerant-se cada cop més a mesura que s'apropava a terra. La nena no havia baixat mai per un tobogan aquàtic, i per un moment la sensació de viatjar de cul tan de pressa li va semblar divertida. Però com que no hi havia aigua, el cul se li va anar escalfant i escalfant pel fregament contra el plàstic.

Aleshores, sense avís previ, el trajecte es va acabar i la nena va sortir volant del tub per anar a parar al contenidor. Per sort hi havia un matalàs vell que algú hi havia llençat il·legalment, que va esmorteir la caiguda. Amb el cul bullent refredant-se una mica, la Zoe va alçar la vista bastida amunt.

El que va veure va ser la seva madrastra, grassa
com una vaca, enclastada a la boca del tub, mentre la
Tina intentava empènyer-la vigorosament cap avall
posant tot el pes sobre el cul enorme de la dona. Però
per molt que empenyia i empenyia, el cos de la Sheila
no tirava avall. Estava encallat. La Zoe no va poder
reprimir un somriure de felicitat. S'havia salvat, al-

menys de moment. Però sabia que algú que s'estimava molt encara corria un perill terrible. Calia afanyar-se. Si no trobava immediatament l'Armitage, moriria polvoritzat!

22

Saliva gratis

Fins que no va veure per casualitat el seu reflex a l'aparador d'una botiga, la Zoe no es va adonar que, com la Tina i la Sheila, ella també estava coberta de pols de cap a peus. Ja li havia estranyat que els vianants la miressin amb aquelles cares d'incredulitat, que els nadons dins els cotxets es posessin a plorar i que les dones embarassades canviessin de vorera.

Va netejar de pols el petit rellotge de plàstic, i va veure que ja era gairebé l'hora de dinar. La furgoneta d'en Burt devia estar aparcada a la porta de l'escola com de costum, i el seu propietari, ben enfeinat fregint les hamburgueses tòxiques.

La pols li havia entrat fins a la gola, i la Zoe necessitava desesperadament beure alguna cosa, de manera que va fer una breu aturada tècnica.

RING!

—Aaah! senyoreta Zoe! —va exclamar en Raj—. Ja és Halloween?

—D'això, no... —va barbotejar la Zoe—. És que avui a l'escola celebrem el dia sense uniforme, i podem anar vestits com vulguem.

En Raj va estudiar la nena recoberta de pols.

—Perdona, però, tu de què vas vestida?

—De Noia de Pols.

—Noia de Pols?

—Sí, Noia de Pols. És una superheroïna.

—No n'havia sentit a parlar mai.

—És molt famosa.

—O sigui que Noia de Pols, oi? I quin superpoder té? —va preguntar en Raj, genuïnament interessat.

—És molt bona traient la pols —va respondre la Zoe, que desitjava desesperadament posar fi a aquella conversa.

—Bé, doncs hauré de buscar-ne informació.

—Sí, em sembla que l'any vinent estrenaran la pel·lícula.

—Segur que serà un gran èxit de taquilla —va contestar en Raj, que no semblava gaire convençut—. A la gent li encanta veure com algú altre treu la pols. Almenys a mi m'agrada.

—Raj, sisplau, puc beure alguna cosa?

—És clar, senyoreta Zoe. El que vulguis. Aquí tinc unes ampolles d'aigua.

—Una mica d'aigua de l'aixeta ja m'està bé.

—No. Insisteixo, agafa una ampolla de la nevera.

—Gràcies, doncs.

—No es mereixen —va dir en Raj amb un somriure.

La Zoe va anar cap a l'aparador i va triar una ampolleta d'aigua. Se la va beure gairebé tota, i després es va netejar la cara amb el que en quedava. Immediatament es va sentir millor.

—Gràcies, Raj, ets molt amable amb mi.

—És que ets un nena molt especial, senyoreta Zoe. I no solament perquè siguis pèl-roja. Sisplau, senyoreta Zoe, em pots passar l'ampolla buida?

Escampant pols arreu de la botiga, la Zoe va tornar l'ampolleta a en Raj, que se la va endur a l'habitació que hi havia darrere de les cortines de plàstic multicolors. La Zoe va sentir rajar l'aigua de l'aixeta, i al cap d'un instant en Raj va reaparèixer i li va passar l'ampolla.

—Torna-la a ficar a la nevera, sisplau —va dir amb un somriure.

—Però està plena de pols, i al broc hi ha saliva meva.

—Precisament aquesta és la gràcia, amiga meva. Que no cobro cap extra per la saliva! —va dir en Raj, exultant.

La Zoe es va quedar mirant el quiosquer, i a continuació va tornar obedientment l'ampolla al lloc d'on l'havia tret.

—Adéu, Raj.

—Adéu, d'això... Noia de Pols. I bona sort!

RING!

Ara la Zoe se sentia una mica com si fos una superheroïna, per molt que el seu superpoder consistís a treure la pols. Com qualsevol altre superheroi, ella també lluitava contra el mal.

Se sentia poderosa quan va baixar pel carrer, deixant un rastre de pols al seu pas, i no va trigar a localitzar la furgoneta d'en Burt. Estava aparcada on sempre, a la porta del pati de l'escola, i al carrer ja s'havia format una cua de nens afamats. Aproximant-se des del lateral del carrer, es va fixar en el rètol de la furgoneta, que deia BURT: CONTROL DE PLAGUES.

«És curiós, això», va pensar. La Zoe es va amagar rere el rètol desfigurat i tronat de l'escola, i va esperar que sonés la campana que indiqués el final de la pausa del dinar. No es podia arriscar a que la veiessin per allà després de l'expulsió temporal. Podia significar l'expulsió definitiva.

«DRRRIIIIIIIIIINNNNNNNN NNNNNNNNNNNNNNNNNNNNN NNNNNNNNNNNNNNNNNNNNN NNNNNNNNNNNNNNNNNNNNN NNNNNNNNNNNNNNNNNNNNN GGGGGGGGGGGGGGGGGGGGG GGGGGGGGGGGGGGGGGGGGG!»

Per fi va sonar la campana, i en Burt va atendre el darrer client, ruixant l'hamburguesa gens apetitosa amb un raig d'aquell quètxup fosc i peculiar. La Zoe va travessar corrents el carrer, i es va amagar a l'altra banda de la furgoneta, la que donava a la calçada. Va llegir el rètol que hi havia escrit en aquella banda, i va comprovar que hi deia HAM-BURGUESES D'EN BURT.

«Tot això és molt estrany», va murmurar la Zoe interiorment. A la furgoneta hi deia HAM-BURGUESES D'EN BURT per una banda i BURT: CONTROL DE PLAGUES per l'altra.

La Zoe va mirar fixament la furgoneta. Aquell home terrorífic feia servir el mateix vehicle per caçar rates que per fregir hamburgueses! La Zoe no era cap experta, però estava força convençuda que l'Agència de Control Alimentari del govern no estaria gens d'acord amb aquell doble joc. Com a mínim, allò es mereixia una carta de protesta.

La Zoe va sentir que s'engegava el motor de la furgoneta, i va córrer cap a la part posterior, va obrir la porta amb molt de compte i va saltar a dins. Després la va tancar tan silenciosament com va poder i es va estirar damunt del terra metàl·lic i fred.

La furgoneta va arrencar.

Amb la Zoe amagada a dins.

23

La màquina polvoritzadora

A l'alçada dels ulls, la Zoe va veure unes bosses enormes d'hamburgueses podrides, amb cucs que en sortien. Es va tapar la boca amb la mà, per por de cridar, vomitar, o totes dues coses alhora.

La furgoneta travessava la ciutat com un llamp. Ella notava que passaven fregant els altres cotxes, i sentia el so de les botzines quan se saltaven els semàfors en vermell. La Zoe va treure el cap horroritzada per la finestreta, i va veure el caos que anaven deixant enrere i els retrovisors que arrencaven dels cotxes aparcats. En Burt conduïa amb tanta temeritat que la Zoe tenia por que s'acabessin matant.

La furgoneta anava tan de pressa que en un tres i no res van arribar als afores de la ciutat, a un polígon industrial desert. Uns enormes magatzems buits i a punt de caure a trossos enlletgien el cel, i el vehicle no va trigar gaire a aturar-se davant d'un edifici especialment ruïnós. La Zoe va mirar per la finestreta esquitxada de greix. Aquell magatzem semblava un hangar gegantí per a avions.

La Zoe va respirar fondo, i quan en Burt hi va fer entrar el vehicle tot va quedar a les fosques. Tan bon punt es va aturar, la nena va saltar fora i es va amagar sota la furgoneta. Esforçant-se per respirar tan silenciosament com podia, va mirar l'espai enorme que l'envoltava. Hi havia gàbies i més gàbies de rates, apilonades les unes damunt les altres. Semblava que n'hi hagués milers, esperant a ser polvoritzades.

Al costat de les gàbies hi havia un dipòsit ple de cuques, amb un adhesiu on simplement deia «Quètxup».

«M'alegro de no haver menjat mai cap hamburguesa d'en Burt», va pensar la Zoe. Tot i així va haver de contenir les ganes de vomitar.

Al bell mig del magatzem hi havia una escala de tisora, bruta i vella, per on es pujava a un artefacte gegantí. «Això deu ser la màquina polvoritzadora!», va pensar la Zoe. Era vella i estava rovellada, i semblava feta de fragments de ferralla de cotxes destrossats, peces de neveres velles i forns microones. Tot plegat estava enganxat amb cinta aïllant.

Mentre la Zoe observava des de sota de la furgoneta, en Burt es va apropar a la màquina.

La part principal del giny era un enorme embut de metall, amb una llarga cinta transportadora que sortia de la part inferior. Hi havia un enorme corró de fusta suspès en l'aire damunt de la cinta. Al costat, uns braços metàl·lics que podien haver estat parts d'antics barrejadors d'aliments esperaven per entrar en acció. Als extrems d'aquests braços hi havia uns tubs metàl·lics rodons que semblaven trossos serrats d'una vella canonada, o potser fins i tot parts del tub d'escapament d'un camió.

Si el xerric de les rates era eixordador, no era res en comparació amb l'escàndol que feia la màquina.

Quan en Burt va engegar l'aparell tot accionant la palanca que hi havia a la part lateral (que en realitat era el braç d'un maniquí), el soroll metàl·lic i afilat va ofegar fàcilment les queixes dels animals. La màquina sencera tremolava com si estigués a punt de caure a trossos.

Espiant des de l'amagatall, la Zoe va veure en Burt que s'acostava, arrossegant els peus, a una de les gàbies. Es va ajupir, la va agafar —hi devia haver un centenar de rates, potser l'Armitage era una d'elles!— i es va enfilar com va poder per l'escaleta, balancejant-se pel pes. Lentament però amb decisió va anar pujant, un esglaó rere l'altre. En arribar a dalt es va aturar, va vacil·lar una mica i llavors va fer un somriure vomitiu. La Zoe va estar a punt de cridar per aturar-lo, però no es volia delatar.

Aleshores en Burt va alçar la gàbia per damunt del seu cap i va començar a llançar les rates dins de la màquina!

Els animals volaven per l'aire cap a una mort segura. Una rateta, no gaire més gran que l'Armitage, s'havia aferrat desesperadament a la gàbia. Amb una rialla repulsiva, l'home malvat li va separar les urpes del metall, i la va llançar dins la màquina. Es va sentir un cruixit horrorós. Era veritat que les polvoritzava! Per la part inferior de la màquina va començar a sortir la carn picada. A continuació, l'enorme corró de fusta aixafava la carn, i llavors els braços metàl·lics picaven repetidament contra la cinta transportadora i anaven tallant la carn en porcions. Les porcions avançaven per la cinta i anaven a parar dins d'una caixa de cartró llardosa.

Ara la Zoe sí que tenia ganes de vomitar.

El secret terrible d'en Burt estava clarament al descobert.

Heu endevinat quin era el secret d'en Burt, estimats lectors?

Això espero, perquè el títol d'aquest llibre és una pista inconfusible.

Efectivament. En Burt convertia les rates en hamburgueses!

Potser vosaltres, estimats lectors, n'heu arribat a menjar alguna sense saber-ho...

—Noooooooooooooooooooooo! —va cridar la Zoe, sense poder-ho evitar. Ara sí que s'havia delatat.

24

Hamburguesa de nena

—Ha, ha, ha! —va dir en Burt, sense riure.

Va avançar cap a la Zoe, arrufant el nas. La Zoe tenia por que la seva vida, com la de les rates, també estigués en perill.

—Ja pots sortir, nena! —va cridar l'home—. T'he ensumat a la furgoneta. Tinc un sentit de l'olfacte extraordinàriament desenvolupat. Per a les rates, però també per als infants!

La Zoe va rodolar des de sota la furgoneta i va córrer cap a la porta del magatzem, tot i que ja sospitava que era tancada amb pany i forrellat. En Burt la devia haver falcat després d'entrar-hi el vehicle. Aquell home cruel va caminar lentament darrere seu. Que en Burt no es molestés a córrer feia que tot plegat encara fos més terrorífic. Sabia que la nena estava atrapada.

La Zoe va donar una ullada a les gàbies de les rates. Hi devia haver milers d'aquelles pobres criatures allà apilonades. Com dimonis podria localitzar el petit Armitage? Les hauria d'alliberar totes. Però ara mateix el prodigiós assassí de rates avançava tranquil·lament darrere seu, i el nas se li arrufava més a cada pas.

Sense treure-li la vista del damunt, la Zoe va resseguir la paret fins a l'enorme porta corredissa, i va començar a jugar amb el cadenat, neguitosa per fugir.

—Allunya't de mi! —va cridar, mentre els dits lluitaven frenèticament per obrir la porta.

—O què? —va ensumar en Burt, apropant-se cada vegada més. Ara estava tan a prop que la Zoe sentia la seva olor.

—O diré a tothom el que fas aquí. Convertir les rates en hamburgueses!

—No ho faràs.

—Sí que ho faré.

—No ho faràs.

—Sí que ho faré.

—Sí que ho faràs —va dir en Burt.

—No ho faré!

—Ha! —va dir en Burt—. T'he enxampat! Aquell dia a casa teva ja vaig saber que em portaries problemes. Per això he deixat que pugessis a la part del darrere de la furgoneta i vinguessis al meu cau secret.

—Ho has sabut tota l'estona que hi era?

—I tant, sentia la teva olor! I ara et convertiré en una hamburguesa. És el que els passa als nens dolents quan fiquen el nas on no l'han de ficar.

—Noooooooooooo! —va cridar la Zoe, que seguia fent uns esforços desesperats per obrir el cadenat rovellat. La clau encara era al pany, però anava tan dura que, per molt que la nena ho provés, no acabava de girar del tot.

—Ha, ha! —va esbufegar en Burt—. Serà la meva primera hamburguesa de nena!

Va allargar el braç per agafar-la i ella el va esquivar, però la manassa peluda va aconseguir engrapar un floc de cabells vermells i arrissats. La Zoe va aletejar amb els braços, intentant separar-se del caçador de rates. Ara l'altra mà havia caigut damunt l'espatlla de la nena i la subjectava amb força.

La Zoe li va ventar una bufetada en tota la cara, i les ulleres fosques van sortir volant i van caure a terra.

—NO! —va cridar en Burt.

La Zoe li va mirar els ulls, però no hi eren.

On hauria d'haver tingut els ulls, en Burt només hi tenia dues cavitats buides, més negres que el color negre.

─AAAAAAAA RRRGGGHHH!!!

—va cridar la Zoe, terroritzada—. No tens ulls?

—Tu ho has dit, nena, sóc completament cec.

—Però... no portes cap gos, ni un bastó blanc, ni res.

—No els necessito —va dir en Burt, orgullós—. Tinc això. —Es va donar uns copets al nas—. Per això sóc el millor caçador de rates del món, potser el millor de tots els temps.

La Zoe va deixar de forcejar un instant. Estava glaçada de terror.

—Què? Per què?

—Com que no tinc ulls, reina, he desenvolupat un sentit de l'olfacte molt acurat. Sóc capaç d'ensumar una rata a quilòmetres de distància. Especialment una cria tan bufona com la teva.

—Però... però... però... condueixes una furgoneta! —va barbotejar la Zoe—. Els cecs no poden conduir!

En Burt va somriure i va ensenyar la dentadura postissa i fastigosa.

—És ben fàcil, conduir sense ulls. Em guio per l'olfacte.

—Mataràs algú!

—Fa vint-i-cinc anys que condueixo i només he atropellat cinquanta-nou persones.

—Cinquanta-nou?

—Ja ho sé, no és gaire. És clar que alguns els vaig haver de rematar fent marxa enrere.

—Assassí!

—Sí, però si no els declares, la companyia d'assegurances et manté la bonificació.

La Zoe va mirar fixament els forats profunds i foscos que en Burt tenia a la cara.

—Què et va passar, als ulls?

Sabia perfectament que algunes persones naixien cegues, però aquest no era el cas. En Burt no tenia ulls.

—Fa molts anys vaig treballar en un laboratori d'animals —va començar en Burt.

—Un què? —va interrompre la Zoe.

—Fèiem experiments amb animals per a investigacions mèdiques. Però jo em quedava fins tard i feia els meus propis experiments!

—Com ara? —va preguntar la Zoe, convençuda que la resposta seria horripilant.

—Arrencava les potes a les aranyes, grapava al terra la cua dels gats, penjava els conillets per les orelles en un fil d'estendre la roba; coses divertides.

—Divertides?

—Sí, divertides.

—Estàs malalt.

—Ja ho sé —va respondre en Burt, orgullós.

—Però encara no m'has explicat per què no tens ulls.

—Tingues paciència, nena. Una nit em vaig quedar fins molt tard al laboratori; era el meu aniversari i com a cosa especial tenia planejat submergir una rata en un bany d'àcid.

—No!

—Però abans de poder remullar l'animaló en el líquid, la vil criatura em va mossegar la mà. Molt fort. Era la mateixa mà que estava fent servir per subjectar el plat d'àcid. Em va fer tant mal que vaig alçar la mà i l'àcid va sortir disparat cap als meus ulls i me'ls va cremar.

Aquesta història de terror va deixar la Zoe sense parla.

—Des d'aquell dia —va continuar en Burt—, he polvoritzat totes les rates que he pogut enxampar. I ara faré el mateix amb tu, per haver ficat el nas on no et criden, com si fossis una rata.

La Zoe va pensar un moment.

—Bé —va dir, en to desafiant—, em sembla que has tingut el final que et mereixies.

—No, no, no, reina meva —va dir en Burt—. Al contrari. El millor final el tindré ara mateix. Quan t'hagi menjat!

25

Una taca a la carretera

Amb la mà clavada al cadenat, la Zoe va aconseguir finalment fer girar la clau. Llavors va allargar el coll i, seguint l'exemple de la rata del laboratori, va enfonsar les dents en el braç d'en Burt tan fort com va poder.

—AAAAAAAAAAAAAAAAAAAAUUU UUUUUUUUUU!!!!!! —va udolar el malvat, i en un moviment reflex la seva manassa va sortir disparada i va arrencar un bon floc de cabells vermells de la Zoe. La nena va obrir l'enorme porta metàl·lica del magatzem i va sortir corrents pel polígon industrial.

L'indret estava desert, i uns fanals depriments il·luminaven un carrer molt ample que tenia tot l'asfalt esquerdat. Les males herbes creixien enmig de les esquerdes.

Sense saber cap a on tirar, la Zoe es va posar a córrer. Va córrer i córrer i córrer. Corria tan de pressa que ensopegava amb les cames. Només pensava a posar la màxima distància entre ella i en Burt. Però el polígon era tan enorme que encara no n'havia sortit.

Sense atrevir-se a mirar enrere, va sentir el motor de la furgoneta que s'engegava, i en Burt que posava la primera marxa. Ara a la Zoe el perseguia un cec que conduïa una furgoneta. Per fi es va decidir a girar-se i va veure que la furgoneta no encertava la porta oberta i s'encarava contra la paret del magatzem...

C C C C C C C C R R R R R R R R R R R R R R R R R R

AAAAAAAAAAAAAAAAA SSsssssssssss HHHHHHHHHHH!!!!!!

L'impacte no va aturar en Burt. La furgoneta va tornar a accelerar en direcció a la nena.

Rere el parabrisa, la Zoe veia les cavitats negres on una vegada hi havia hagut els ulls d'en Burt. Just a sota hi havia el nas que s'arrufava febrilment, com un petit radar sintonitzant el mode NENA PÈL-ROJA.

La furgoneta s'acostava i avançava cada cop més de pressa. La Zoe havia de fer alguna cosa o acabaria convertida en una taca a la carretera.

Havia d'actuar immediatament.

Es va llançar cap a l'esquerra, i la furgoneta va fer una batzegada cap a l'esquerra. Va córrer cap a la dreta, i la furgoneta va virar cap a la dreta. Rere

el volant, els somriure malvat d'en Burt es va eixamplar. Cada vegada estava més a prop d'aconseguir la seva primera hamburguesa de nena pèl-roja.

La furgoneta va posar la directa i va començar a guanyar terreny a la Zoe, que corria tan de pressa com l'hi permetien les cametes. Davant seu va veure uns cubells, amb una pila de bosses d'escombraries oblidades feia molt temps al costat. El cervell li funcionava més de pressa que les cames, i ràpidament se li va acudir un pla...

La Zoe va saltar per damunt dels cubells i va escollir una bossa especialment pesant. Quan la furgoneta es va acostar, la va llançar contra la capota del vehicle. En l'instant que picava contra la furgoneta, la Zoe va deixar anar un crit esfereïdor, com si l'hagués atropellat.

—AAAAAARRR RRRRGGGHHH!!!!!!

Aleshores en Burt va posar la marxar enrere, amb l'objectiu indubtable de passar-hi una altra vegada per sobre i assegurar-se que era morta.

Quan el motor va gemegar, la Zoe també ho va fer. Marxa enrere, la furgoneta va esclafar la bossa d'escombraries.

Aleshores en Burt va baixar de la furgoneta, va arrufar el nas i va provar de localitzar el que creia que era el cadàver de la nena. Mentrestant, la Zoe va sortir de puntetes, es va arrossegar per sota d'un filat i va anar a parar a un terreny erm, on va començar a córrer sense mirar enrere.

Quan ja li va ser impossible córrer més, va trotar, i quan no va poder trotar, va caminar. Mentre caminava va reflexionar llargament sobre el que calia fer a continuació. La Zoe havia vist un home cec que conduïa una furgoneta i feia hamburgueses de rata. Qui la creuria? Qui l'ajudaria? Necessitava que algú l'ajudés. Mai no podria vèncer en Burt tota sola.

Un professor? No. Al capdavall, l'havien expulsat de l'escola i li havien prohibit l'entrada. El director l'expulsaria definitivament si gosava tornar-hi.

En Raj? No. Les rates li provocaven terror. Havia sortit corrents al carrer, presa del pànic, només de veure l'Armitage. Era impensable fer-lo entrar en aquell magatzem, on hi havia milers de rates.

La policia? No. No es creurien mai aquella història sensacional. La tractarien com a qualsevol altra nena d'una barriada problemàtica, expulsada de l'escola, que diu una mentida ben grossa per provar de sortir de l'embolic on s'ha ficat tota soleta. Com que la Zoe era tan petita, la policia la portaria directament a casa seva, on la perversa madrastra la devia estar esperant.

Només hi havia una persona que podia ajudar-la en aquell moment.

El seu pare.

Feia molt que no li feia de pare, des dels temps que arribava a casa i li feia tastar aquells gelats de gustos extraordinaris, o quan jugava amb ella al parc. Però la Sheila no tenia raó: el pare s'estimava la Zoe, i sempre ho havia fet. El problema era que estava tan trist que ja no sabia com demostrar-l'hi.

La Zoe sabia on trobar-lo.

Al pub.

Però hi havia un gran inconvenient. És il·legal que els nens entrin als pubs.

26

L'executor i la destral

El pare de la Zoe anava tots els dies al mateix pub, un local de teulada plana al límit de la barriada, amb la creu de Sant Jordi penjant a la porta i un gos rottweiler d'aspecte ferotge lligat a l'exterior. No era un lloc adequat per a una nena petita. En realitat, segons la llei, només hi podien entrar persones més grans de setze anys.

La Zoe en tenia dotze, però semblava més petita i tot.

El pub es deia L'executor i la destral, i era encara menys agradable del que el nom podia arribar a suggerir.

La Zoe va fer una volta per esquivar el rottwei-ler, i va espiar l'interior del pub per una finestra esquerdada. Va veure un home que semblava el seu pare, assegut tot sol, desplomat sobre una tau-la, amb una pinta de cervesa mig plena a la mà. La nena va picar a la finestra, però l'home no es va moure. La Zoe va tornar a picar, més fort, però no va aconseguir despertar el seu pare.

Ara la Zoe no tenia més remei que desobeir la llei i entrar al local. Va respirar fondo i es va posar de puntetes per semblar una mica més alta, per bé que era impossible que ningú la considerés prou gran per poder-hi entrar.

Quan va obrir la porta, uns paios grassos i calbs vestits amb samarretes de la selecció anglesa de futbol es van girar i se la van quedar mirant. En aquell lloc amb prou feines hi entrava mai una dona, per no parlar d'una nena.

—Fot el camp d'aquí! —va cridar el propietari,

un home de cara rogenca. Tenia el cap pelat, em-
marcat per uns manyocs de cabells a banda i banda
i una cua de cavall. A la closca hi duia un tatuatge
on hi deia WEST HAM. Bé, en realitat hi deia
MAH TSEW. Era evident se l'havia fet ell mateix
davant d'un mirall, perquè estava a l'inrevés.

—No —va dir la Zoe—. Vinc a buscar el meu pare.

—Se me'n fot —va bordar el propietari—. Fora!
Fora del meu pub!

—Si em fa fora el denunciaré a la policia per
permetre la presència de bevedors menors d'edat
al local!

—Què t'empatolles, ara? De qui parles?

La Zoe va fer un glop ràpid de la pinta de cerve-
sa d'un home sense dents que seia a la taula del
costat.

—De mi! —va dir triomfant, abans que el gust
desagradable de l'alcohol li impregnés la llengua i
fes que de sobte es trobés molt malament.

L'home del rostre rogenc i la cua de cavall va que-
dar garratibat davant d'aquest argument lògic, i es va
quedar un instant sense dir res. La Zoe ho va aprofi-
tar per acostar-se a la taula on hi havia el seu pare.

—PAPA! —va cridar—. PAPA!!!

—Què? Què passa? —va dir ell, despertant-se
de cop.

La Zoe va somriure.

—Zoe? Que dimonis hi fas, aquí? No em diguis
que t'envia la teva mare.

—No és la meva mare, i no és ella qui m'envia.

—Aleshores, per què has vingut?

—Necessito que m'ajudis.

—Amb què?

La Zoe va respirar fondo.

—Hi ha un home en un magatzem als afores de
la ciutat que, si no l'aturem immediatament, està a
punt de convertir la meva rata domèstica en una
hamburguesa.

El pare de la Zoe no semblava gens convençut, i va fer una ganyota que suggeria que la seva filla s'havia tornat completament boja.

—Rata domèstica? Hamburgueses? Zoe, sisplau. —El pare va posar els ulls en blanc—. M'estàs prenent el pèl!

La Zoe va mirar el seu pare als ulls.

—T'he mentit alguna vegada, papa? —va dir.

—Bé, d'això...

—És molt important, papa. Pensa-ho. T'he mentit alguna vegada?

El pare de la Zoe es va quedar un moment pensant.

—Bé, em vas dir que trobaria una altra feina...

—I ho faràs, papa. Confia en mi. Però no t'has de rendir.

—Ja m'he rendit —va dir amb tristesa el pare de la Zoe.

La Zoe va mirar el seu pare, tan castigat per la vida.

—No ho has de fer. Penses que jo hauria de renunciar al meu somni de tenir el meu propi espectacle d'animals?

—No, és clar que no —va dir poc convençut.

—Bé, fem un tracte. Que cap dels dos oblidi mai els seus somnis —va dir la Zoe. El seu pare va assentir sense gaire convicció. Aleshores ella va aprofitar l'ocasió—. És per això que necessito recuperar la rata. L'he estat ensinistrant, i ja ha après un munt de coses. Serà increïble.

—Però què és això d'un magatzem? I quines hamburgueses? Sona una mica inversemblant.

La Zoe va mirar fixament els ulls grans i tristos del seu pare.

—No és cap mentida, papa. T'ho prometo.

—No, és clar, però... —va barbotejar l'home.

—No hi ha peròs, papa. Necessito que m'ajudis. Ara. Aquest home m'ha amenaçat de convertir-me en una hamburguesa.

El seu pare la va mirar espantat.

—Com? A tu?

—Sí.

—No són solament les rates?

—No.

—La meva nena? Convertida en hamburguesa?

La Zoe va assentir, lentament.

El seu pare es va alçar de la cadira.

—Quin home tan malvat. Me les pagarà. I ara... em prenc l'última pinta i ja podrem marxar.

—No, papa, has de venir ara mateix.

Just aleshores va sonar el telèfon del pare de la Zoe. El nom de la persona que trucava va aparèixer il·luminat a la pantalla. I hi deia «Bruixa».

—Qui és la Bruixa?

—És la teva mare. La Sheila, vull dir.

De manera que, al telèfon, el seu pare tenia apuntada la Sheila amb el nom de «Bruixa». La Zoe va somriure per primer cop en molt de temps.

Aleshores se li va acudir una possibilitat molt poc desitjable. Potser en Burt estava amb ella!

—No t'hi posis! —va implorar.

—Com que no m'hi posi? Si no ho faig em ficaré en un bon embolic!

Va prémer el botó de resposta del telèfon mòbil.

—Sí, amor meu? —va dir el pare amb un to de veu falsament afectuós—. La teva fillastra?

La nena va sacsejar el cap violentament.

—No, no, no l'he vist... —va mentir el seu pare. La Zoe va respirar alleujada—. Per què? —va preguntar.

Es va quedar un moment escoltant, i després va tapar el receptor amb la mà perquè ningú sentís el que estava a punt de dir.

—Hi ha un home que es dedica al control de plagues, i t'està buscant. Diu que et vol tornar la rata sana i estàlvia. Vol donar-te-la personalment. Per motius de seguretat.

—És una trampa —va xiuxiuejar la Zoe—. Ell és qui ha intentat matar-me.

—Si la veig, et trucaré immediatament, amor meu. Adéu!

La Zoe va sentir els crits de la seva madrastra a l'altre costat de la línia, just en el moment que el seu pare penjava l'aparell.

—Papa, hem d'anar a aquest magatzem ara mateix. Si ens afanyem podrem arribar-hi abans que ell, i salvar l'Armitage.

—L'Armitage?

—És la meva rata domèstica.

—Ah, d'acord—. El pare es va quedar pensant una estona—. Per què es diu així?

—És una història molt llarga. Vinga, papa, marxem. No podem perdre més temps...

27

Un forat a la tanca

La Zoe va dur el seu pare a fora, van esquivar el rottweiler i ja eren al carrer. Es va quedar un instant vacil·lant sota el fanal ataronjat i va mirar la seva filla als ulls. Es va produir un llarg silenci.

—Tinc por, estimada —va dir.

—Jo també.

La Zoe va allargar la mà i va prémer tendrament la del seu pare. Era el primer cop que s'agafaven la mà des de feia mesos, potser anys. Abans el pare li acostumava a fer unes grans abraçades, però després de la mort de la mare, s'havia tancat en si mateix i ja no havia tornat a sortir.

—Però junts ens en sortirem —va dir la Zoe—. N'estic segura.

El pare va abaixar la vista per mirar la mà de la seva filla, tan petita dins la seva, i una llàgrima li va negar l'ull. La Zoe li va dedicar un somriure dolç.

—Som-hi... —va dir.

Un instant més tard ja avançaven pels carrers mal il·luminats, amb els intervals de foscor i llum succeint-se cada cop més de pressa.

—Llavors, aquest dement fa rates amb les hamburgueses? —va dir el pare de la Zoe, respirant dificultosament.

—No, papa, és a l'inrevés.

—Ah, sí, és clar. Ho sento.

—I té un magatzem enorme en un polígon industrial dels afores de la ciutat —va panteixar la Zoe, estirant-lo per la màniga.

—És on hi havia la fàbrica de gelats on jo treballava! —va exclamar el pare.

—Està llunyíssim.

—No tant. Jo acostumava a agafar una drecera quan arribava tard, hcm de trencar per aquí. Segueix-me.

El pare de la Zoe va agafar la filla per la mà i la va fer passar a través d'un forat que hi havia en una tanca. La Zoe no va poder reprimir un somriure en veure's immersa en aquella aventura tan emocionant.

L'emoció es va esmorteir una mica quan es va adonar que estaven entrant en un abocador d'escombraries.

Pocs instants després, al pare les escombraries ja li arribaven al genoll, i a la Zoe li arribaven a la cintura, però feien el possible per obrir-se pas. La Zoe va ensopegar, i el seu pare la va agafar i la va pujar a collibè com acostumava a fer quan anaven a passejar pel parc quan ella era molt petita. Amb les mans li subjectava les cames amb força.

Junts, van aconseguir avançar per aquell mar de bosses d'escombraries i no van trigar gaire a veure els magatzems i les naus. Un immens cementiri d'edificis abandonats i desèrtics, banyats per una llum gèlida.

—Allà és on treballava jo —va dir el pare de la Zoe, assenyalant un dels magatzems. En un rètol vell i fet malbé hi posava: COM ANYIA EL GELAT DELICIÓS.

—Comanyia? —va preguntar la Zoe.

—Algú s'ha endut la «p»! —va respondre el pare, i tots dos van riure—. Déu meu, feia segles que no venia per aquí.

La Zoe va indicar un magatzem, a la paret del qual hi havia un forat en forma de furgoneta.

—Aquell és el d'en Burt!

—Molt bé.

—Som-hi. Hem de salvar l'Armitage.

Pare i filla van recórrer la vora exterior de l'edifici en direcció al forat de la paret. Hi van entrar i van observar el magatzem gegantí. L'edifici semblava buit, a excepció dels milers de rates. Les pobres criatures estaven apilonades en gàbies, esperant un destí macabre per esdevenir menjar porqueria.

A en Burt no se'l veia per enlloc; encara devia ser al pis amb la malvada madrastra de la Zoe, esperant a enxampar la Zoe quan ella arribés a casa. Segur que li devia caure la bava amb la idea de convertir-la en una hamburguesa de mida extra.

Inquiets, la Zoe i el seu pare van entrar a l'edifici, i la Zoe li va ensenyar la terrorífica màquina polvoritzadora.

—En Burt s'enfila per aquesta escala i llança les rates dins d'aquell embut gegant, i les pobres criatures queden aixafades abans de ser convertides en porcions.

—Déu meu! —va dir el seu pare—. Aleshores és veritat.

—Què t'havia dit? —va respondre la Zoe.

—Quina és l'Armitage? —va preguntar el pare, contemplant els milers de rosegadors esporuguits que s'estaven atapeïts en aquella muntanya de gàbies.

—No ho sé —va dir ella, observant les mirades espantades que sortien de les gàbies, apilonades les unes damunt les altres. Veure totes aquelles caixes, formant una torre altíssima de rates, li va recordar el bloc d'apartaments on vivia amb la Sheila i el seu pare.

«De tota manera», va pensar la Zoe, «les rates ho tenen pitjor. Són elles les que es convertiran en carn picada per fer hamburgueses.»

—On és? —va dir la nena—. Té un nassarró rosat molt bufó.

—Ho sento, estimada, les trobo totes iguals —va dir el pare, intentant desesperadament trobar-ne una que tingués el morro rosat.

—Armitage? ARMITAGE! —va cridar la Zoe.

Les rates es van posar a xisclar. Totes volien escapar.

—Les haurem d'alliberar totes —va dir la Zoe.

—Bon pla —va respondre el pare—. Enfila't damunt les meves espatlles, i obre la gàbia de dalt.

El pare de la Zoe la va agafar en braços i se la va col·locar damunt les espatlles. Ella es va agafar fort al seu cap i es va anar aixecant a poc a poc.

La Zoe va començar a deslligar els filferros que mantenien les gàbies tancades. Dic gàbies, però en realitat eren velles fregidores d'oli.

—Com va la feina?

—Faig el que puc, papa. Estic a punt d'obrir la primera.

—Bona minyona! —va cridar el seu pare, enco-
ratjant-la.

Però abans que la Zoe hagués obert la primera
gàbia, la furgoneta d'en Burt, en un estat deplora-
ble, va irrompre com un tro al magatzem, i va fer
saltar per l'aire l'enorme porta corredissa.

CCCCRRRRRR
AAAAAAAAAAAAA
SSSSSSSSHHHHHHHHHH!!!!!!!!!!

Tot seguit va fer una esgarrifosa frenada:

Ara sí que la Zoe i el seu pare tenien un pro-
blema greu.

28

Verí per a rates

—T'he ben enxampat! —va esbufegar en Burt, tot baixant del seient del conductor—. Qui és aquest que t'acompanya?

El pare va mirar nerviós la seva filla.

—Ningú! —va dir.

—És l'inútil del meu marit! —va anunciar la Sheila, tot baixant dificultosament de l'altra banda de la furgoneta.

—Sheila? —va dir el pare de la Zoe, estupefacte—. Què hi fas, aquí?

—No t'ho volia dir, papa —va dir la Zoe mentre baixava de les espatlles del seu pare—. Però l'altre dia els vaig sentir a ell i a la Sheila tot amorosits...

—No! —va dir el seu pare.

La Sheila va somriure satisfeta a la parella.

—Doncs sí, la petarrella té raó. Penso fotre el camp amb en Burt i la seva furgoneta.

La dona va caminar orgullosament cap al caçador de rates i el va agafar de la mà.

—Compartim un amor profund l'un per l'altre.

—I per polvoritzar rates —va afegir en Burt.

—I tant, ens encanta anihilar rosegadors!

I llavors es van fer un petó capaç de regirar l'estómac més avesat. La Zoe ho va trobar insuportable.

—Però m'agradaves més amb bigoti, Burt —va dir la dona amb la seva beneiteria característica—. Te'l tornaràs a deixar?

—Sou fastigosos! —va cridar el pare de la Zoe—. Com us pot agradar matar aquestes pobres criatures!

—Oh, calla d'una vegada, idiota! —el va escridassar la Sheila—. Aquestes rates mereixen morir, són unes *cossetes* repulsives! —Aleshores va fer una pausa i va mirar la seva fillastra—. Per això vaig assassinar el teu *àmster*.

—Vas matar en Bunyolet? —va cridar la Zoe, amb llàgrimes als ulls—. Ho sabia!

—Vaca cruel! —va etzibar el seu pare.

La Sheila i en Burt van compartir una rialla vomitiva, units en la crueltat.

—Sí, no volia aquell animaló a casa meva. I li vaig *possar* una mica de verí per a rates al menjar. Ha, ha! —va afegir la dona repulsiva.

—Com vas ser capaç de fer una cosa així? —va cridar el pare.

—Tanca la boca. Només era un *àmster*. Sempre l'havia odiat! —va respondre la Sheila.

—Verí per a rates. Mmm. Quina llarga agonia! —va afegir en Burt amb una rialla eixordadora—.

El problema és que després tenen un regust estrany, però tampoc passa res.

La Zoe es va llançar al damunt de la parella. Tenia ganes de destrossar-los. El seu pare la va retenir.

—No, Zoe! No saps el que són capaços de fer.

—El pare de la Zoe s'esforçava per evitar que la seva filla els ataqués—. Escolteu, no volem problemes —va suplicar—. Doneu-me la rateta de la Zoe. Ara mateix. I llavors marxarem.

—Ni parlar-ne! —va esbufegar en Burt—. Les cries són les més gustoses. La guardava per a la nostra cita romàntica, Sheila. Mmm...

Lentament, en Burt es va ficar la mà a la butxaca llardosa del davantal.

—De fet... —va dir— ...tinc aquí el teu preciós Armitage...

Llavors va treure la rateta agafant-la per la cua. L'amic de la Zoe havia passat tota l'estona allà, i no tancat a les gàbies amb les altres rates com ells pensaven! En Burt havia lligat les potetes de l'Armitage amb un filferro perquè no pogués fugir. Semblava una rata especialista en fugues.

—Nooooo! —va cridar la Zoe quan el va veure així.

—Serà una hamburguesa molt gustosa! —va dir en Burt, llepant-se els llavis.

La Sheila va estudiar la pobra coseta que penjava com un pèndol, i es va girar cap a en Burt.

—Pots menjar-te-la tu, estimat meu —va dir—. Em sembla que jo m'estimo més continuar menjant les meves patates xips amb gust de còctel de gambes, si no t'importa.

—Com vulguis, àngel meu.

L'home va avançar trontollant cap a la màquina polvoritzadora i va accionar la palanca. Un grinyol terrible va ressonar per tot el magatzem. Lentament, en Burt va començar a pujar l'escala de tisora fins a la part superior de l'embut.

—Deixa estar la rata! —va cridar el pare de la Zoe.

—Com si algú t'hagués fet mai cas! Ets com un acudit! —va riure la Sheila.

La Zoe es va alliberar dels braços del seu pare i va córrer darrere d'en Burt. Havia de salvar l'Armitage! Però a hores d'ara el molt malvat ja havia pujat mitja escala, i la pobra rateta es retorçava dintre la seva mà, esparverada. La Zoe va engrapar la cama d'en Burt, però ell va sacsejar violentament el peu per treure-se-la del damunt. Aleshores en Burt li va clavar una puntada al nas amb el taló de la bota. La nena va caure a pes contra el terra de ciment.

_AAAAAAAAA AAAAAAAAAAUUU UUUUU!!!!!! —va cridar la Zoe.

El seu pare va sortir esperitat cap a l'escala i s'hi va enfilar, encalçant l'assassí de rates. Aviat els dos homes van arribar a l'esglaó superior, i l'escala va començar a balancejar-se a banda i banda sota el pes de tots dos. El pare de la Zoe va agafar en Burt pel canell i va estirar per obligar-lo a deixar anar la rata.

—Llança el meu marit a la màquina d'hamburgueses, posats a fer! —es va mofar la Sheila.

El colze del pare de la Zoe va fregar la cara d'en Burt i va fer caure les ulleres del caçador de rates. En trobar-se cara a cara amb aquelles cavitats fosques on hauria d'haver tingut els ulls, el pare de la Zoe va quedar tan horroritzat que va fer un pas enrere i va perdre l'equilibri. No va trepitjar bé l'esglaó i va caure cap a l'embut.

Va començar a lliscar en direcció a la màquina polvoritzadora. Per pura supervivència, el pare de la Zoe es va agafar desesperadament al davantal d'en Burt, però estava tan greixós que li costava aferrar-s'hi.

—Sisplau, sisplau —va dir el pare—. Ajuda'm.

—No. Et convertiré en menjar per als nens —va dir en Burt amb la veu aspra, mentre una rialla li reverberava a la gola, i va començar a desenganxar, un per un, els dits del davantal—. I la teva filla tindrà la mateixa sort!

—Sí! Llança-la a ella, també! —el va animar la Sheila.

Una mica estabornida, la Zoe va aconseguir posar-se de quatre grapes i va gatejar cap a l'escala per ajudar el seu pare. Per aturar-la, la Sheila va agafar brutalment la nena pels cabells i la va estirar cap enrere. Aleshores va fer giravoltar la seva fillastra i la va llançar cap amunt.

Amunt, amunt, amunt...

I després avall.

I finalment... es va desplomar.

La Zoe va deixar anar un crit agònic en el moment que va anar a petar contra el terra per segon cop.

—AAAaaaaaaaa hhhhhhhhhhhhhhhhhhhhh hhhhhhhhh!!!!!!

Malgrat els cabells tan espessos i arrissats que tenia, l'impacte va deixar la Zoe estabornida durant uns moments.

—Burt? No et moguis i t'ajudaré a llançar-lo! —va cridar la Sheila, mentre els dos homes seguien forcejant al capdamunt de la màquina d'hamburgueses. A poc a poc, la dona, grotescament grassa, es va anar enfilant, i l'escala va grinyolar sota aquell pes considerable.

Una mica marejada, la Zoe va obrir els ulls i va veure la seva madrastra fent tentines dalt de l'escala. La dona intentava arrencar els dits del pare del davantal greixós d'en Burt. Els anava doblegant un per un, i reia sense parar en veure que cada cop estava més a prop de convertir el seu marit en una hamburguesa.

Però la Sheila estava tan grassa que en el moment de separar l'últim dit del pobre home del davantal, el seu pes va fer que l'escala es precipités cap a un cantó.

CCCcccRRRR AAASSSSSSHHHHH!!!!!

En Burt i la Sheila van caure endavant, de cap i irremissiblement dins la màquina polvoritzadora...

El pare de la Zoe va aconseguir agafar-se a la vora de l'embut.

L'Armitage també queia dins la màquina amb el cruel caçador de rates. Res no podia aturar la polvorització immediata del petit animaló...

29

Sabatilles de pelfa roses

Just en aquell moment, amb en Burt volant pels aires, l'Armitage va mossegar-li el dit i, xisclant, el monstre es va espolsar la rata de la mà i la va llançar cap amunt.

Amunt, amunt, amunt...

I va caure damunt la mà estesa del pare de la Zoe.

—Ja el tinc! —va cridar. L'home s'aferrava amb una mà a la vora de l'embut, i amb l'altra tenia ben agafat l'Armitage. L'animal es retorçava embogit.

Llavors es va sentir un so borbollejant que indicava que la màquina s'empassava l'esgarrifosa parella.

Quan van passar pel corró, la màquina va fer un so metàl·lic i va grinyolar com no ho havia fet mai. Finalment en van sortir rodolant dues hamburgueses enormes.

De la primera sobresortien les ulleres de sol esquinçades d'en Burt. En l'altra, les sabatilles de pelfa roses de la Sheila eren clarament visibles. Totes dues hamburgueses eren ben poc apetitoses.

HAMBURGUESA SHEILA

HAMBURGUESA BURT

_AUXILI!

—va cridar el pare de la Zoe.
Estava a pocs segons de con-
vertir-se ell també en hambur-
guesa...

La Zoe, lleugerament recu-
perada, va tornar a concen-
trar-se en l'embut.

El seu pare continuava pen-
jat de la vora de la màquina
polvoritzadora amb la mà lle-
fiscosa de greix, mentre subjec-
tava l'Armitage amb l'altra.

Els peus li gronxaven pocs mil·límetres per sobre de les piconadores, que per la seva banda desgastaven les puntes de les sabates amb un soroll semblant al d'un full de paper quan l'acostes a un ventilador.

La Zoe veia que el seu pare relliscava de mica en mica. L'home tenia la mà greixosa del davantal d'en Burt, i no podia evitar perdre l'adherència.

D'un moment a l'altre faria l'última alenada d'aire.

Després sortiria per l'altra punta de la màquina convertit en una hamburguesa força grossa.

Amb el cap que encara li rodolava per la col·lisió, la Zoe va gatejar pel ciment fred i humit del magatzem en direcció a la màquina.

—Apaga-la! —va cridar el seu pare.

La Zoe es va afanyar i va arribar fins a la palanca lateral. Però anava molt dura i, per molt que ho intentava, no aconseguia moure-la.

—Està encallada! —va cridar.

—Doncs agafa l'escala! —va respondre el seu pare.

La Zoe va clavar una ullada ràpida: l'escala de tisora era a terra, de costat, allà on havia anat a parar quan s'havia ensorrat.

—Afanya't! —va cridar el seu pare.

—IIIIC! —va cridar l'Armitage, enredant la cueta tan fort com podia en la mà lliure del pare.

—Ja vinc, ja vinc! —va dir la Zoe.

Amb totes les seves forces, la nena va redreçar l'escala i va pujar ràpidament els esglaons. En arribar a dalt va abaixar la vista cap a la màquina. Era com mirar la boca d'un monstre. Les piconadores mecàniques semblaven ullals gegants capaços de trossejar-la.

—Té! —va dir el seu pare—. Agafa l'Armitage.

La Zoe va allargar el braç i va agafar l'animaló de la mà del seu pare. L'home li va passar l'Armitage que encara duia les potes lligades amb el filferro. La nena se'l va posar contra el pit i li va fer un petó al nas.

—Armitage? Armitage? Estàs bé?

El pare de la Zoe va contemplar aquell retrobament tan emotiu i va posar els ulls en blanc.

—Deixa'l estar, ara. Que encara sóc aquí, jo! —va cridar.

—Ah, sí, ho sento, papa! —va dir la Zoe. Es va tornar a posar l'Armitage a la butxaca interior de l'americana, es va ajupir i va oferir les mans al seu pare per treure'l d'aquell mal tràngol. Però el pare pesava molt, i la Zoe es va balancejar precàriament al capdamunt de l'escala, fins al punt que va estar a punt de caure de cap dins de la màquina.

—Compte, Zoe! —va dir el pare—. No t'hi vull arrossegar a tu, també!

La Zoe va baixar un parell d'esglaons, i va enroscar els peus al voltant de l'escala per ancorar-los. Aleshores va allargar els braços cap avall, el seu pare s'hi va agafar i per fi va aconseguir salvar-se.

Després tots dos van baixar l'escala, el pare va estirar ben fort la palanca, va apagar la màquina i es va desplomar a terra, exhaust.

—Estàs bé, papa? —va preguntar la Zoe, dempeus al seu costat.

—M'he fet alguns talls i algunes rascades —va dir—, però sobreviuré. Vine aquí. El teu papa necessita una abraçada. T'estimo molt, saps...

—Sempre ho he sabut, i jo també t'estimo...

La Zoe es va estirar al costat del seu pare, i ell la va abraçar fort. Aleshores, ella es va treure

l'Armitage de la butxaca i li va deslligar les potetes amb molt de compte. Junts, es van fer una gran abraçada de mida familiar.

Just aleshores, l'Armitage els va interrompre.

—Iiic, iiic! —va dir, i va fer un petit número de ball per desviar l'atenció de la Zoe cap a la torre de rates que seguien esclafades cruelment dins de les gàbies.

—Crec que l'Armitage prova de dir-nos alguna cosa, papa.

—Quina cosa?

—Crec que vol que alliberem els seus amics.

El pare de la Zoe va mirar la paret feta de gàbies, que gairebé arribava al sostre del magatzem. Totes les gàbies estaven a rebentar de rates afamades.

—És clar, me n'havia oblidat!

Va acostar l'escala a les gàbies, s'hi va enfilar, i llavors la Zoe, posant-se un altre cop l'Armitage a la butxaca, va pujar sobre les espatlles del seu pare per arribar a la gàbia de dalt de tot.

—No caiguis! —va dir el pare.

—Agafa'm bé els peus!

—No et preocupis que no et deixaré anar!

Finalment, la Zoe va aconseguir obrir la primera gàbia. Les rates van sortir tan ràpid com van poder, i van fer servir la nena i el seu pare com a escala per baixar fins a la seguretat del paviment. La Zoe no va trigar gaire a obrir totes les gàbies. Milers de rates corrien excitades pel magatzem, gaudint de la llibertat acabada d'adquirir. Aleshores la Zoe i el seu pare van obrir el flascó on hi havia les cuques, que havien escapat de ben poc de ser convertides en quètxup!

—Mira —va dir el pare de la Zoe—. Bé, millor que no miris. Ets massa petita per veure això.

I és clar, com ja deveu saber, estimats lectors, dir això és la manera més segura de fer que un nen miri.

I, per descomptat, la Zoe va mirar.

Eren les hamburgueses d'en Burt i la Sheila, acabades de fer. Les rates les estaven devorant àvidament. Havia arribat l'hora de la venjança!

—Déu meu —va dir la Zoe.

—Si més no, estan eliminant les proves —va dir el seu pare—. Vinga, serà millor que marxem d'aquí...

L'home va agafar la seva filla de la mà i van caminar cap a la sortida. La Zoe va mirar cap enrere i va veure la furgoneta tronada.

—I la furgoneta de les hamburgueses? En Burt ja no la necessitarà mai més —va dir.

—Ja, però, què carai en faríem, nosaltres? —va preguntar el pare, mirant interrogativament la seva filla.

—Bé —va dir la Zoe—. Tinc una idea...

30

Companys d'habitació

L'hivern va deixar pas a la primavera, i durant aquest temps la furgoneta va ser redecorada. El sol fet d'eliminar el greix que s'havia acumulat en totes les superfícies del vehicle, per dins i per fora, va requerir una setmana sencera. Fins i tot el volant estava ple de ronya. Però la feina no semblava feina, perquè la Zoe i el seu pare la van dur a terme junts, i s'ho van passar sorprenentment bé. Com que estava tan content, el pare de la Zoe no va anar al pub ni una sola vegada, cosa que també va fer molt feliç la Zoe.

És clar que el fet d'estar a l'atur continuava sent un problema. El pare de la Zoe només rebia una petita quantitat al mes en concepte de subsidi. Era una misèria que amb prou feines donava per alimentar la seva filla, i encara menys per reformar una furgoneta.

Per sort, el pare de la Zoe era molt manetes.

Havia trobat molts dels accessoris i peces que necessitava per reparar la furgoneta a l'abocador d'escombraries. Va rescatar una petita nevera i la va recompondre. La van utilitzar per mantenir freds els polos. Una pica antiga va encaixar perfectament a la part posterior de la furgoneta, i servia per netejar els pals. La Zoe va trobar un embut vell en un contenidor, i amb una mica de pintura i paper maixé, pare i filla van aconseguir convertir-lo en un cucurutxo i el van col·locar a la part del dant de la furgoneta.

Fins que per fi la van tenir acabada.

La seva pròpia furgoneta de gelats.

A l'escola, l'expulsió temporal de la Zoe s'acabava l'endemà. Però encara quedava una última decisió a prendre. Un aspecte principal, crucial, que havien d'enllestir. Un assumpte excepcionalment important.

El que havien d'escriure a la part lateral de la furgoneta.

—Hauries de posar-hi el teu nom —va dir la Zoe, mentre feia un pas enrere per admirar l'obra d'artesania. La furgoneta resplendia sota el sol de la tarda, a l'aparcament del bloc de pisos. El pare de la Zoe duia una brotxa i un pot de pintura a la mà.

—No, tinc una idea millor —va dir amb un somriure. Va alçar la mà cap al lateral de la furgoneta i va començar a pintar les lletres. La Zoe se'l mirava, intrigada.

La primera va ser la «A».

—Papa, què estàs escrivint? —va preguntar la Zoe, impacient.

—Espera —va respondre el seu pare—. Ja ho veuràs.

Després la «R», i després la «M».

Aviat la Zoe també ho va endevinar, i no es va poder estar de cridar:

—Armitage!

—Sí! Ha, ha! —va riure el pare de la Zoe—. Gelats Armitage.

—M'encanta! —va dir la Zoe, fent bots damunt del paviment, tota emocionada.

El pare de la Zoe va afegir la «I», després la «T», i després la «A», la «G» i la «E». I llavors va pintar també la paraula G E L A T S.

—Segur que vols posar-hi el seu nom? —va preguntar la Zoe—. Al capdavall no és més que una rateta.

—Ja ho sé, però sense ell, res de tot això no hauria passat.

—Tens raó, papa. És un amic molt especial.

—Per cert, no m'has dit mai per què li vas posar Armitage —va dir el seu pare.

La Zoe va empassar-se saliva. Aquell no era el moment de dir al seu pare que havia escrit el nom d'una tassa de vàter al lateral de la seva lluent furgoneta de gelats.

—D'això... és una història molt llarga, papa.

—Tinc tot el dia.

—Bé. D'acord, potser en una altra ocasió. T'ho prometo. De fet, serà millor que el vagi a buscar. Vull que vegi com ha quedat la furgoneta...

A hores d'ara l'Armitage havia crescut, i ja no cabia a la butxaca interior de l'americana de la Zoe. De manera que l'havia deixat al pis.

La Zoe va pujar corrents les escales de la torre de pisos, i va entrar precipitadament al seu dormitori. L'Armitage es bellugava dins la vella gàbia d'en Bunyolet. El pare de la Zoe havia recuperat la gàbia de la casa d'empenyorament, canviant-la per una caixa gegant de patates xips amb gust de còctel de gambes que sorprenentment la seva exdona no s'havia arribat a menjar.

És clar que ara la habitació no era únicament de la Zoe.

No: des del dia que s'havia ensorrat la paret, era un dormitori molt més gran que compartia amb una altra persona.

L'altra persona era la Tina Trotts.

Feia temps que s'hauria d'haver reparat la paret, però l'obra estava aturada. Quan va entrar a l'habitació, la Zoe va veure amb sorpresa que la Tina estava agenollada al costat de la gàbia, i donava unes molles de pa tendrament a la rateta a través dels barrots.

—Què fas? —va preguntar la Zoe.

—Ah, he pensat que potser tenia gana... —va dir la Tina—. Espero que no et molesti.

—Ja me n'ocupo jo, gràcies —va contestar la Zoe, tot traient-li el menjar de la mà. Seguia sospitant de qualsevol cosa que la noia pogués fer. Al capdavall, era la mateixa persona que cada dia li havia tirat una escopinada al cap quan la Zoe sortia cap a l'escola. La infelicitat que li havia causat no era fàcil d'oblidar.

—Encara no confies en mi? —va preguntar la Tina.

La Zoe va reflexionar un moment.

—Espero que l'Ajuntament repari la paret aviat —va dir finalment.

—A mi m'és igual. De fet m'ho he passat bé, compartint habitació amb tu.

La Zoe no va dir res. El silenci es va allargar, i la Tina va començar a bellugar-se, nerviosa.

«Ostres», va pensar la Zoe. «Deixa de sentir llàstima per la Tina Trotts!»

Però la veritat era que, aquelles darreres setmanes, la Zoe havia arribat a entendre moltes coses sobre la vida de la Tina. Per exemple, que tenia un pare horrible que l'escridassava totes les nits. Era un home corpulent com un ós. Li encantava fer que la seva filla se sentís inútil, i la Zoe va pensar que potser per això la Tina feia el mateix als altres. No solament a la Zoe, sinó a qualsevol que fos més feble que ella. Era una gran roda de crueltat, que podia seguir girant i girant si ningú no l'aturava.

Però, per molt que comprengués les circumstàncies de la Tina, la noia no li queia bé.

—T'he de dir una cosa, Zoe —va dir de sobte la Tina, amb els ulls plens de llàgrimes—. Una cosa que no he dit mai a ningú. Mai. Mai dels mais dels mais. I si tu la repeteixes, et mataré.

«Déu meu», va pensar la Zoe. «Què dimonis pot ser? Algun secret horrible? Potser la Tina té dos caps i en guarda un amagat sota el jersei? O potser en realitat és un noi que es diu Bob?»

Doncs no, estimats lectors. No era cap d'aquestes coses.

Es tractava d'una cosa molt més xocant...

31

Una rata rica i famosa

—Ho sento —va dir la Tina, per fi.

—Ho sents? És això el que no has dit mai a ningú?

—D'això... sí.

—Vaja —va dir la Zoe—, Bé, d'acord.

—Ah, d'acord, llavors em perdones?

La Zoe es va quedar mirant la noia. Va sospirar.

—Sí, Tina, et perdono —va dir.

—Sento molt haver estat tan cruel amb tu —va dir la Tina—. És que... m'empipo molt. Sobretot quan el meu pare... ja ho saps. Em fa venir ganes d'esclafar alguna cosa petita.

—Com jo.

—Ja ho sé, ho sento molt.

Ara la Tina plorava de valent. La Zoe se sentia una mica incòmoda, gairebé desitjava que la Tina li tornés a tirar una escopinada. La Zoe va passar els braços al voltant de la noia i la va abraçar lleugerament.

—Ja ho sé, ja ho sé —va dir la nena, en veu baixa—. Tenim una vida difícil. Però escolta'm. —La Zoe va enretirar amablement les llàgrimes de la Tina amb els polzes—. Ens hem de tractar amb amabilitat, i fer pinya, d'acord? Aquest lloc ja és prou dur, no necessito que converteixis la meva vida en un infern.

—Aleshores, no et tiro més escopinades al cap? —va dir la Tina.

—No.

—Ni tan sols els dimarts?

—Ni tan sols els dimarts.

La Tina va somriure.

—D'acord.

La Zoe li va tornar les molles de pa.

—No em molesta que donis menjar al meu petitó. Pots continuar.

—Gràcies —va dir la Tina—. Li has ensenyat algun truc nou? —va preguntar, i la cara li va resplendir d'il·lusió.

—Treu-lo de la gàbia i t'ho ensenyaré —va dir la Zoe.

La Tina va obrir amb delicadesa la porta de la gàbia, i l'Armitage va gatejar amb precaució fins a la seva mà. Aquesta vegada no la va mossegar, sinó que va fregar el pèl suau contra els dits de la noia.

La Zoe va treure un cacauet d'un bossa que hi havia al prestatge, mentre la seva nova amiga alçava amb molta cura l'Armitage i el col·locava damunt la moqueta coberta de pols. Li va ensenyar el cacauet.

L'Armitage es va alçar ràpidament sobre les potes posteriors i va fer un ball molt divertit cap endarrere, i com a premi la Zoe li va donar el cacauet. Va agafar el cacauet entre les potes i el va mossegar amb avidesa.

La Tina es va posar a aplaudir, entusiasmada.

—És increïble! —va dir.

—Doncs això no és res! —va respondre la Zoe, orgullosa—. Mira això!

Amb la promesa d'uns quants cacauets més, l'Armitage va fer una tombarella cap endavant, un salt mortal cap enrere, i fins i tot va girar sobre l'esquena com si estigués fent *break dance*!

La Tina no es podia creure el que estava veient.

—L'hauries de dur a aquell concurs de talents de la tele —va dir la Tina.

—M'encantaria! —va dir la Zoe—. Podria ser la ca rata rica i famosa del món. I tu podries ser va ajudant.

—Jo? —va dir la Tina, incrèdula.

—Sí, tu. De fet necessito que m'ajudis en un truc que se m'ha acudit.

—Sí, m'encantaria! —va balbucejar la Tina. Aleshores va afegir: —Oh! —com si acabés de recordar alguna cosa.

—Què passa? —va dir la Zoe.

—El concurs de talents de final de curs!

La Zoe no havia tornat a pensar en l'escola des que havia començat el període d'expulsió de tres setmanes, de manera que s'havia oblidat absolutament del concurs.

—Ah, sí, el que organitza la senyoreta Nanny.

—Nana, sí. Hauríem de presentar-hi l'Armitage.

—Mai no em deixaran que torni a dur l'Armitage a l'escola. Va ser la raó per la qual em van fer fora!

—No, no, no, ho han parlat en assemblea. Com que serà al vespre, el director ha aprovat una norma especial. Es permeten els animals de companyia.

—Bé, no és ni un gos ni un gat, però suposo que sí que és el meu animal de companyia —va raonar la Zoe.

—És clar que ho és! I escolta això. La Nana tocarà la tuba, he sentit com assajava. És horrible! Tots els nens pensem que només ho fa per impressionar el director.

—Aleshores, li agrada! —va dir la Zoe.

Les dues noies van riure. La idea de veure una professora tan inusualment baixeta tocant un instrument tan inusualment gran ja semblava hilarant, i encara més el fet d'utilitzar un instrument tan greu com la tuba com a mètode de seducció!

—Tinc ganes de veure-ho, això! —va dir la Zoe.

—Jo també —va riure la Tina.

—Ara mateix he d'ensenyar una cosa a l'Armitage, però després passarem el vespre treballant juntes en el nou truc!

—Me'n moro de ganes! —va respondre la Tina, emocionada.

32

Massa caramel

Baixar corrents les escales era més fàcil que pujar-les, i abans que s'assequés la pintura de la part lateral de la furgoneta, la Zoe, gairebé sense alè, ja ensenyava a l'Armitage els resultats de la dura tasca que havien dut a terme amb el seu pare. El pare va pujar al vehicle i va obrir l'escotilla del sostre. La Zoe no havia vist mai el seu pare tan feliç.

—Molt bé, ets la meva primera clienta. Què li ve de gust, senyora?

—Mmm... —la Zoe va repassar els sabors. Feia molt de temps que no tastava les delicioses postres gelades, no estava segura d'haver tornat a prendre cap gelat des d'aquells vespres que el seu pare tornava apressadament de la fàbrica perquè ella tastés algun sabor nou i extravagant.

—Cucurutxo o copa, senyora? —va preguntar el pare de la Zoe, que ja gaudia de la seva nova feina.

—Cucurutxo, sisplau —va respondre la Zoe.

—Li ve de gust algun sabor en particular? —va preguntar el pare amb un somriure.

La Zoe es va reclinar sobre el mostrador i va estudiar la llarga llista de gustos que feien la boca aigua. Després de tants anys a la fàbrica, el seu pare era un expert en gelats boníssims. Hi havia:

Xarop de fruita i tres xocolates
Remolí de maduixa i avellana
Caramel, caramel i més caramel
Explosió de crispeta amb *toffee*
Cruixent de rusc i caramel
Sorpresa caramel·litzada

Tutti-Frutti-Lutti
Onada de gerds amb trossets de xocolata negra
Doble crema de caramel i coco
Cruixent de galeta i caramel
Caramel, caramel, caramel i més caramel
Remolí de *toffee* i mantega de cacauet
Festuc i xocolata blanca
Pastís Banoffi amb megatrossos de caramel
Bombó de caramel de sucre i mantega
Suprema de batut de núvol
Quàdruple galeta de xocolata amb remolí de mel
Minious de xocolata amb fruita del bosc
Cargol amb bròquil
Caramel, caramel, caramel, caramel, caramel, caramel, caramel, massa caramel, en realitat.

Era la col·lecció de sabors de gelat més variada i magnífica del món. A part del de cargol amb bròquil, és clar.

—Mmm... Semblen tots deliciosos, papa. Es fa difícil decidir-se...

El pare de la Zoe va contemplar el conjunt de gelats.

—Aleshores te n'hauré de posar un de cada!

—D'acord —va dir la Zoe—. Però potser el de cargol amb bròquil no caldrà.

—Com vostè vulgui, senyoreta —va dir el seu pare, fent una reverència.

Mentre la seva filla reia, ell va anar omplint el cucurutxo amb tots els sabors, fins a formar una torre de gelat gairebé tan alta com ell mateix. Sostenint l'Armitage en una mà, la Zoe va fer uns equilibris impossibles per sostenir el cucurutxo amb l'altra mà.

—Això no m'ho podré menjar tota sola! —va riure la Zoe. Va alçar la vista cap a la torre de pisos, i va veure que la Tina la mirava des de la finestra de la trenta-setena planta.

—TINA! BAIXA! —va cridar la Zoe amb totes les seves forces.

Aviat tot de nens van començar a treure el cap per les finestres dels pisos, preguntant-se la raó d'aquell rebombori.

—TOTS VOSALTRES! —va cridar la Zoe. En va reconèixer alguns, però a la majoria no els coneixia. Alguns no els havia vist mai, per bé que visquessin tots atapeïts en aquell edifici lleig i gegantí—. Baixeu tots, i ajudeu-me a acabar el gelat.

Al cap de pocs segons, centenars de nens contents i amb la cara bruta van començar a arribar a l'aparcament de la urbanització per fer una mossegada del gelat ridículament alt de la Zoe. La nena va confiar la torre de gelat a la Tina, que es va assegurar que tots els nens tinguessin la part corresponent, especialment els més petits, que no podien arribar tan amunt amb les seves boquetes.

Mentre el so de les rialles anava pujant i el sol s'anava ponent, la Zoe, somrient, es va separar del grup de nens i va anar a seure contra un mur que hi havia a prop. Va netejar la brutícia de la paret i es va acostar l'Armitage a la cara. Aleshores li va fer un petó molt tendre a la part superior del cap.

—Gràcies —li va xiuxiuejar—. T'estimo.

L'Armitage va inclinar el cap i la va mirar, amb el somriure més dolç del món.

—Iiic, iiic, iiic, iiiiiiic —va dir. Cosa que, com bé sabeu, traduït del rater al català significa: «Gràcies a tu. Jo també t'estimo».

Epíleg

—Gràcies, senyoreta Nana, vull dir Nanny, per aquesta peça de tuba tan delicada —va mentir el senyor Grave. Havia estat realment horrorós. Com un hipopòtam tirant-se un pet.

La senyoreta Nanny va baixar trontollant de l'escenari del concurs de talents de l'escola, ocultada per l'instrument enorme i pesadíssim.

—Per aquí —la va cridar el senyor Grave amb preocupació.

—Gràcies, director —es va sentir una veu esmorteïda, just abans que la senyoreta Nanny caigués pel lateral de l'escenari. La tuba va sonar millor en picar contra la paret que quan ella l'havia tocat.

—Estic bé! —va cridar la senyoreta Nanny de sota de la tuba ridículament grossa.

—Ah... bé —va dir el senyor Grave.

—És clar que potser necessitaré el boca a boca!

Encara que semblés impossible, el senyor Grave es va posar encara més pàl·lid.

—A continuació —va dir, ignorant la professora que batallava sota el ridícul instrument de metall—, donem la benvinguda a l'escenari a l'actuació final de la vetllada: Zoe!

Es va sentir un estossec des del lateral de l'escenari.

El senyor Grave va tornar a mirar el full de paper.

—Ah, perdó: Zoe i Tina!

Tot el públic va aplaudir, però ningú més fort que el pare de la Zoe, que seia orgullós a primera fila. Assegut al seu costat, en Raj també aplaudia emocionat.

La Zoe i la Tina van sortir immediatament, vestides amb xandalls a joc, i van fer una reverència.

Aleshores la Tina es va estirar damunt de l'escenari, mentre la Zoe muntava a banda i banda unes petites rampes, que havien fabricat amb caixes de cereals.

—Senyores i senyors, nens i nenes, demano un fort aplaudiment per a L'increïble Armitage! —va dir la nena dels cabells de color panotxa.

En aquell instant, l'Armitage va travessar l'escenari, muntat en una moto de joguina a corda que el pare de la Zoe havia comprat en una botiga de beneficència i havia reparat. La rata duia un petit casc al cap.

El públic va embogir només de veure'l, llevat d'en Raj, que es va haver de tapar els ulls. Encara li feien por els rosegadors.

—Te'n sortiràs, Armitage —va xiuxiuejar la Zoe. Durant els assajos, algunes vegades havia fallat i havia passat de llarg, cosa que deslluïa una mica l'espectacle.

L'Armitage anava accelerant cada vegada més a mesura que s'acostava a la rampa.

«Vinga, vinga, vinga», va pensar la Zoe.

La rateta va encertar la rampa a la perfecció.

«Sí!»

L'Armitage es va enlairar...

L'Armitage va volar pels aires...

«Oh, no!», va pensar la Zoe.

Baixava massa de pressa. No encertaria la rampa de l'altre extrem.

Avall, avall, avall... l'Armitage va caure.

La Zoe va contenir la respiració.

I aleshores la rateta va aterrar sobre la panxa amplíssima de la Tina.

Va rebotar un altre cop cap enlaire.

I va aterrar sobre la rampa de l'altre extrem.

Va ser un moment de joia absoluta. Probablement va semblar que era fet a posta i tot.

—Uf —va dir la Tina.

—Iiic —va dir l'Armitage, aturant la moto en el moment just.

El públic es va posar dempeus en bloc i va recompensar els artistes amb una llarga ovació que es va perllongar durant molta estona. Fins i tot en Raj va separar una mica les mans per mirar.

La Zoe va mirar l'Armitage, després la Tina, i després el seu pare, que aplaudia com un boig.

No va poder reprimir un gran somriure de felicitat.

Agraïments

Vull donar les gràcies a les persones següents, per ordre d'importància:

A Ann-Janine Murtagh, la meva cap a HarperCollins. T'estimo, t'adoro. Gràcies per creure en mi, però, per damunt de tot, gràcies per ser com ets.

A Nick Lake, el meu editor. Ja saps que penso que ets indiscutiblement el millor en aquesta feina, però moltes gràcies també per ajudar-me a créixer NO SOLAMENT com a escriptor, sinó també com a persona.

A Paul Stevens, el meu agent literari. No et pagaria un deu per cent més d'IVA per fer unes quantes trucades telefòniques si no em sentís absolutament benaurat pel fet que siguis el meu representant.

A Tony Ross. Ets l'il·lustrador de més talent tenint en compte el pressupost que teníem. Moltes gràcies.

A James Stevens i Elorine Grant, els dissenyadors. Gràcies.

A Lily Morgan, la correctora de proves. Salut.

A Sam White, el responsable de publicitat. A Geraldine Stroud, la directora de publicitat. Hola a tots dos i gràcies.

David Walliams

La increïble història de...
L'ÀVIA
GANGSTER

La increïble història de...
LES HAMBURGUESES
de RATA

La increïble història de...
EL NOI
DEL MILIÓ

La increïble història de...
LA DENTISTA
DIMONI

La increïble història de...
EL NOI
DEL VESTIT

La increïble història de...
UN AMIC
EXCEPCIONAL

La increïble història de...
LA TIETA
TERRIBLE

La increïble història de...
LA GRAN FUGA
DE L'AVI

La increïble història dels...
AMICS DE
MITJANIT

La increïble història de...
EL PAPÀ
PISPA

La increïble història de...
EL GEGANT
AL·LUCINANT

La increïble història de...
LA COSA
MÉS ESTRANYA DEL MÓN

La increïble història de...
EL MONSTRE
DEL PALAU DE
BUCKINGHAM

La increïble història de...
UN SLIME
GEGANT

Montena